"福建优秀文学70年精选"丛书编委会

（按姓氏笔画排序）

王光明（首都师范大学教授、博士生导师）

石华鹏（《福建文学》副主编）

伍明春（福建师范大学教授、硕士生导师）

刘小新（福建社会科学院副院长、研究员）

刘晓闽（《中篇小说选刊》编辑部主任）

孙绍振（福建师范大学教授、博士生导师）

李朝全（中国作协创作研究部副主任、研究员）

陈晓明（北京大学中文系主任、教授、博士生导师）

陈毅达（福建省文联党组成员、书记处书记、副主席，福建省作协主席）

林　彬（海峡出版发行集团党委委员、副总经理）

林　滨（海峡文艺出版社副社长、副总编辑）

林玉平（海峡文艺出版社社长、总编辑）

南　帆（全国政协社会和法制委员会副主任、福建社会科学院院长、福建省文联主席）

袁勇麟（福建师范大学教授、博士生导师）

黄发有（山东大学教授、博士生导师）

谢　冕（北京大学教授、博士生导师）

谢有顺（中山大学教授、博士生导师）

福建优秀文学
70 年精选

诗 歌 卷

"福建优秀文学70年精选"丛书编委会　编

伍明春　选编

海峡出版发行集团 | 海峡文艺出版社

图书在版编目（CIP）数据

福建优秀文学 70 年精选.诗歌卷/"福建优秀文学 70 年精选"丛书编委会编；伍明春选编. 一福州：海峡文艺出版社,2020.1
ISBN 978-7-5550-2177-3

Ⅰ.①福…　Ⅱ.①福…②伍…　Ⅲ.①中国文学－当代文学－作品综合集－福建②诗集－中国－当代　Ⅳ.①I218.57

中国版本图书馆 CIP 数据核字(2020)第 005845 号

福建优秀文学 70 年精选·诗歌卷

"福建优秀文学 70 年精选"丛书编委会　编
伍明春　选编
责任编辑　林　颖　朱墨山
编辑助理　张　萌
出版发行　海峡文艺出版社
经　　销　福建新华发行(集团)有限责任公司
社　　址　福州市东水路 76 号 14 层　　　邮编　350001
发 行 部　0591－87536797
印　　刷　福建新华印刷有限责任公司　　　邮编　350011
厂　　址　福州市福新中路 42 号
开　　本　720 毫米×1020 毫米　1/16
字　　数　424 千字
印　　张　36.5
版　　次　2020 年 1 月第 1 版
印　　次　2020 年 1 月第 1 次印刷
书　　号　ISBN 978-7-5550-2177-3
定　　价　128.00 元

如发现印装质量问题,请寄承印厂调换

阳光作品

158　陆庄理发记

158　映像·闽江

苏忠作品

160　吹剑

161　塔苍苍

161　梦游者

苏盛蔚作品

163　我不知道自己在说什么

163　孤岛

杜星作品

165　独奕

166　地球村

巫小茶作品

167　桃花夭

168　在你的怀里静坐如初

李龙年作品

169　一匹马，目光里迷茫远远多
　　　于孤独

170　高墙之角的无名草

李伯庠作品

171　有关水车房的回忆

171　在春的屋檐下小睡

李迎春作品

173　一场春雨一场梦

174　我和父亲

李彬源作品

176　敦煌日记（节选）

杨金中作品

179　出走

179　春光志

杨健民作品

181　元宵雨

182　树

183　站在一片叶子上

杨雪帆作品

185　北回归线

186　遥望太平洋

187　民谣：恒星上的吟唱者

连占斗作品

190　观鸽记

190　大与小

吴友财作品

192　在梅尔顿·莫布雷的孤独

193　美好的时刻

194　完美生活

吴常青作品

195　山中一日

195　父亲的口琴

吴银兰作品

197　大房子，小房子

198　摇篮曲

吴谨程作品

200　约会一杯咖啡

201　水上漂起的周庄

我是圆的作品

　202　翻开相册

　202　我把我踩成重伤

邱德昌作品

　204　客家土楼，不仅仅是一个词

　205　远方

何刚作品

　206　阳光洒在北方的冻河上

　207　聆听二胡

何如作品

　208　牙痛记

　208　下午

　209　叙述

何若渔作品

　210　乌有湖

　210　禁忌

　211　一切都是别的什么

何金兴作品

　213　鼎

　213　某夜读史偶遇宋徽宗

何鱼作品

　215　简单生活

　216　唯有轻烟在水间

作二作品

　217　扫蟥营：最后的营地

　217　型厝海

余文瀚作品

　219　驶向中环码头

　219　与堕轨者

余禺作品

　221　壁虎

　222　鹿蹄

　223　水上

　224　遇狗

沈国徐作品

　226　深爱如此

　226　天涯

沈鱼作品

　228　她们还要在世上活很多年

　228　借命

　229　欲晚亭

张小云作品

　231　时代

　232　我去过冬天

张文质作品

　234　持久的注视

　235　一首诗

　236　返身

张平作品

　237　小木船

　238　牛骨谣

张冬青作品

　239　一条逆水而上的鱼

像拼图般重新组合

直到有一天

散落多年的骨头

终于站立起来

他已经老了，在秋风里

像棵枯草

他觉得这些骨头

支撑起了他的一生

而他的生命

从未像现在这样完整

（选自《诗刊》2012年12月号上半月刊）

纸 人

一架纸飞机正在降落

一只纸折的鸟可以飞多远

一个纸人，当我在书上

遇见他的时候

他怀着怎样的心事

他被巫师画在神秘的甲马上

成为一个人的魂

一个看得见未来的人

在纸上旅行，纸折的路

有怎样的曲折

纸做的心，就像一张白纸

没有复杂的心机

而他手上的纸枷锁

早已绑架了他的命运

一个纸人又能够走多远

我折了只纸船

帮他逃离纸做的世界

当我写进他的梦

将他的心事一笔勾销，窗外

一阵没来由的晚风

把我的稿纸，吹落了一地

（选自《诗刊》2012 年 12 月号上半月刊）

天桥上的乐队

五个盲人并排坐在天桥上

用不同的乐器合奏《两只蝴蝶》

他们看不见世界

也可能从未见过蝴蝶

可他们还是努力地睁大眼睛

把红皮的证件一字排开

没有人知道，他们从何而来

明天又将辗转何处

翩跹在歌曲里的两只蝴蝶

定然会带着这座城市

与生俱来的孤独

扇动着翅膀，飞向相反的方向

（选自《人民文学》2009 年第 8 期）

作者简介

三米深，原名林雯震，1982 年生，福建福州人，已出版诗集《天桥上的乐队》《梦游的骑手》等。

大荒作品

大 风 歌

——还能想起的一号一号的台风

大风起兮

雨来

夹泥夹沙的来

突然的来

痛苦的失去诗意

贫瘠的忘记人生

大风起兮

没有云

只有雨水在半夜里汇集

只有惊惧在树枝里剥响

轰然而下

赤身裸体

大风起兮

天唱

人和泥沙的俱下

云不飞扬

（选自《福建文学》2008年第7期）

马兆印作品

沙县湿地公园

在湿地公园，我尾随游客
拾捡他们嘴里撒落的不同方言
秋深天凉，健身的男女
沿着红栈道长跑，哼着小调
每次看到他们将体内的汗水取出来
我就异常轻松，山青草绿
傍晚的时光正集中收敛
她们在花海中打扮
仿佛要将湿地公园的美
都穿在自己身上

黄昏在孩子们脸上圆润
木桥惬意弓着腰
他们嬉戏打水，围着石桌吹葫芦笙
月亮就要从凤尾竹上升起
简朴的石头被雕刻成十二生肖
沐浴在草地
我看见自己的属相
一尾蛇
恰到好处地从花岗岩中
伸出七寸

（选自《台港文学选刊》2019 年第 1 期）

吴早山下

仰望一朵云是危险的

风将吴早山的绿

吹的尖锐，状元张确守着晚唐

他的诗词没有对抗

我们一直保持高桥的平和

民谣里的火透明，一个人抱着远山

怀揣济世初心

春风掠过的稻田，紫云英的红

从不为命运亮出刀光剑影

如果张确的溪流湍急些

头顶的云鲜活些

雨丝落下的灵动就有了高度

我们害怕时间对离家的人

借物体伤害到宋词

这样吧，省略那截盛开的樱花

在凸凹的石子路上

朗诵年轻时描述的未来

听尘缘预留的安静

我们就原谅身体内存的苍老

（选自《台港文学选刊》2019 年第 1 期）

作者简介

马兆印，1965 年生于福建沙县，祖籍山东梁山，已出版 5 部诗集。三明诗群成员。

野獾出没在积雪的奇迹中，那新踏进的领地

山韭和嵩刺蒙住了邙岭的眼。上坡的路

那是我们的虚荣，像一曲挽歌被琵琶弹奏——

她呵气的动作，仿佛在河床里摸到了鹅卵

提醒山顶微寒，耐心要被消耗掉

于是松果滚落我们的脑海，快步向前

追上想象中的

自己。剜开来白石流淌的路径，在摇摇

欲坠的嵩顶北坡，危险的高点

梦的止境，和峰杪一道克服恐惧

然而我的一生不是第一次

登临，今天终于被懊悔侵占。相机败坏了

我们的痛苦。至少是我的，体内的草垛

残茬围成的盛宴，对命运的揣测无声息

无可望尽的远山包围了村落。下山经过道观

藜棘勾在裤脚，奔涌的琴弦，早已回到人间

返程的列车呢，我跟随你。何处停靠，梦无声奔驰

等小雨初下，有多少变幻，远远超出了

我们知道的世界。

（选自《十月》2018 年第 3 期）

作者简介

王家铭，1989 年生，福建南安人，本科毕业于武汉大学中文系，博士就读于清华大学人文学院，已在《人民文学》《十月》《诗刊》等刊物发表作品数十首，曾获十月诗歌奖、三月三诗会新人奖等。

王祥康作品

立春的下午和一场雨交谈

本来是寂寞的午后　一杯茶
越来越淡　因为一场雨
不远千里的奔跑
我的杯里又起了波澜

阳台拦不住若有若无的声音
它像一枚针　春天的消息
被刺痛了一下
湿湿的风把这个三点钟的下午
吹得有点倾斜　有点抖

远道而来的人还在路上
他的步伐和表情　对我已是陌生
我只想着风的空阔
和路途的险　雨斜斜的
正打在我说出的话上

天越来越暗　记忆空出来
我没有能力拦住一场雨　拦住
这个下午的不安和痛
立春了　立春了

公刘文西作品

睡 美 人

她凌乱的长发旧棉絮般伤感

在岁月中一个女人变成黄色

或是女儿，母亲。在岁月中垂垂老矣

在江湖中两忘。美是一种叹息

在无限的怀想中是一点萤火

而不是荧光。恰如天鹅飞在浩海

前世的雪大过转世之雪。梦中那夫子

比当今多一个渺茫，而永恒的女人

她给的比我们索要的更多

如果怀中的美正在逝去，我宁愿不去要它

画中众多的孩子，成人后悄然赴死

矿物和青铜在大梦的涟漪中濡染过时间

在岁月中每个少女都曾是老妇人

美的措辞很可能是假的

信以为真的睡美人在豌豆丝帛上

睡了悠悠一夜

（选自《我听见了时间：崛起的中国 90 后诗人》，中国青年出版社 2017 年版）

山水之间

画家们画山水，因为山水是公开的
帝王们买画，因为山水是铁打的

而真正的粮食也不是长在泥土里
那些天生的智慧的果子
有没有人摘都在万古闲愁地照耀
它们成熟了，给予这个世界莫大的恩惠

而我也不是商人或是农民，但我在忙于种植
为山水的不动产添加心跳
为她们的云雨造一个呼吸的肺部
为重峦叠嶂的事物捂住冰雪遥远的体温

山水之间，是混蒙的雾气或者还是山水
在我的眼里，有这些就够了。山水之间有空旷的鸟鸣

（选自《我听见了时间：崛起的中国 90 后诗人》，中
国青年出版社 2017 年版）

作者简介

公刘文西，本名刘文西，1991 年生。有作品见《天涯》《诗刊》《星星》《诗歌月刊》
等。曾获第五届光华诗歌奖。

巴客作品

屋里有鱼

屋里有鱼，在空气中游动
不是来死亡，也不是来布道。只是，它
必须这样生存

进入你的身体，是鱼的意志
它接管你的沉思，吞食你的幻念
它梳理你的编年史和情爱记录
为你的面目，适度调整形状。你要
把欲望交给它。你的呼喊
会在咖啡里挣扎，融化

屋里有鱼，它不会和你说话
如果说话，语速将快于你隔夜的酒——
除非你有勇气，讲述它的诞生

（选自《扬子江诗刊》2018 年第 1 期）

我聆听着一个声音

并非一棵树，并非树上落下的果实，并非
果实里的浆汁

并非站在树下等待来临的
洪水、枪弹、黑暗
在背面，跳跃的风里有意想不到的声音
滑过独享的雪域。我设下日子
迎接金属的书简

不妨转过身躯，放走多余的光线
那该消失的却在出现
那记录的影像遇上游动的旱鱼
那飞向天空的雨，是腥红的

此时充盈，此时落英缤纷

（选自《福建文学》2018 年第 9 期）

露珠项链

那抖落我的疼痛的
你的夜——

挥霍不完颤动的光线和语词的灯塔，
却几无可能递给你一片海，
让鱼群看见北方；

而酗酒的双手放走了北斗七星，
究竟哪一种禁忌能融于血？

它们相互深入对方的身体
与你相遇
我感觉自己也是一阵风
想起愚人节的愚人

一阵风
与另一阵风相遇
会变得更强
或更弱
都是一副纠缠不清的模样

（选自《福建文学》2015 年第 8 期）

作者简介

正中，1963 年生，福建仙游人，福建省作协会员，诗作散见各报刊，多次入选年度优秀诗歌选集，已出版诗集《时间的羽翼》。

本少爷作品

寒 夜

我甚至记不得窗外的夜空是否有星星

生命有限，而星星无限

忘掉是迟早的事

早晨起来看妈妈忙碌不停

皱纹爬满她

爸半头白发

我假装正青春年少

那是昨天的早晨，现在

是我对昨天的回忆

（选自《诗林》2013 年第 2 期）

少 年 游

十二岁那年

我梦见自己到了一个很远的地方

在那里有一条河流

我想让它往哪儿流它就往哪儿流

我打个呼哨就有鸽子飞来

我一招手鱼就飞出水面自动献身

这些事情父亲是知道的

我正在发育

卢辉作品

抽屉里的母亲

这些照片，都是我母亲的
从抽屉里出来
母亲
一点没变

还是那张桌子，一点时间
一条围巾
一双碗筷
连影子
都是现成的

听说人死了
就不用再生病了，母亲在照片里
没抓过一次药
也不渴
十年过去了
抽屉里的母亲
呆在家里
很少
出门

（选自《诗刊》2010 年 6 月号上半月刊）

请把幸福放低一点

低，就像一把铁锹
一层薄薄的雾气
一点锈迹：这只是四月的一天

因为四月，因为雨
他在床上
和所有的家当，旁听雨滴

雨，足够一碗粥
足够放到
跟幸福一样的水平线上：一碗水
肯定会烧开的

低一点，再低一点
屋檐下
火舌，雨量被控制在幸福以内
一个农民工的午餐

（选自《诗刊》2010 年 6 月号上半月刊）

作者简介

卢辉，1961 年生于福州，籍贯大田，编著《中国好诗歌》，著有《卢辉诗选》《诗歌的
见证与辩解》，获得福建省政府文艺百花奖、《现代青年》2019 年度十佳诗人等。

叶玉琳作品

梦见乐器工厂

世界上最高雅的和最简陋的
都以飞鸟的形式
栖息在这片神奇的土地
我梦见它们
年轻的锦江　美丽的锦江
在我看不见的地方
突然用一缕音符
锁住一生的艰辛

你比我抢先一步来到这里
打开琴盒　放出风中的圣音
我想不出这是哪一年的圣使
如此优雅地
在空了的胸腔里走来走去
遍地晶亮的阳光中
有人在驱赶着木屑
有人被木屑驱赶
但肯定有人暗中铭记了这一切
我们眼中的较量
加深了黄昏的雾气

大风来了

一年中的工棚被洗得发亮

雪又不能压住幻想和呼吸

我们必须腾出一双手的操作

留下刨子　刻刀　大兴安岭松条

这些简单的道具

在长满天籁的耳朵里　在大地上

永不终结神秘飞行

（选自《诗刊》1997 年第 10 期）

水　乡

等你，我的江南

和我一样充满梦想地

被水包装

恢复鱼儿般的畅快呼吸　游弋

不管是偶然　还是必然

你都是我日光中变小变轻的身子

在卵石和贝母的丹青之上

反复含苞

丝竹在我们生活的地方

埋藏得比水还深

而你为什么在浪边微笑

使潮声退至最后

夜船浅浅隔开

九尾雁阵扶摇着九株苇丛

用疼痛唤醒自己

现在，我学会了扎针

用长长短短的银针，冷不防

扎进自己的脚，然后

冷眼旁观

看着他从睡梦中惊醒

看着他负痛起床，从暗夜里

一瘸一拐地走来

我也学会了解剖

把亲人的名字一笔一画地拆开

——这一笔是眉毛，那一笔

是笑笑的眼神

这个扭曲的笔画，是父亲晚年

无法伸直的双脚。再解剖下去

就切到了自己的肌肤

这个时候，我无法冷静

我看见自己

一边垂泪，一边醒来

（选自《草堂》2018 年第 5 期）

作者简介

叶发永，1964 年生，福州人，已出版诗集《多彩人生》。作品见于《诗刊》《星星》《福建文学》等刊物，多次获省优秀文学奖、福州市茉莉花文艺奖等，为省作协会员，丑石诗群成员，仓山区作协副主席。

叶来作品

乡间的公路都是灰的

一路上，乡间的景色都是灰的
那一年深秋，坐中巴从赣县
到宁化。在宁化境内
路旁的白色小菊
倒显得清艳无比，我一个人
在老旧的车厢里颠颇，那些小花
晃啊晃，竟然都是些人影
真像那些，常年躺在泥土里的人
借用植物，探出头来
看看生前的这个世界，现在是
啥模样了。草垛、败草、几顶
旧屋散落在灰灰的白云下方
沿路没什么两样，都是颓景
车子驶过的地方，沙尘高调扬起
一会又归于平静，乡间公路
躺在那里，两旁的桦树、苦楝子
上个世纪还像个孩子
我把头伸出窗外，对它们喊了一声

（选自《诗刊》2016 年 9 月号下半月刊）

出 租 屋

灯火基本都停下了
寄身者把小小的身子安放下来
暮色渐深。
红砖，阳台，防盗网
窗台前的晾衣架
都被锁在夜色里，偶有几户人家
夜妇们打理俗事
我站在阳台
远处夜市的喧闹声
落在深巷里
重型卡车的忧伤
无疑成了某处的一段叹息
也霸道地闯入民居
偶有的夜航班机飞过出租屋群
各地的人们，散落在人间大地

（选自《诗刊》2016 年 9 月号下半月刊）

纯 棉

傍晚的时候
许文选和我，和陈文明
照着画册练习少林五祖拳
一比一划

扫过天边的浮云

大人们习惯性地在菜地里浇菜

那些肥料都是

从各家屋后的茅房里

舀出来并加了清水，浇在菜地里

晚风吹过，气味并不浓郁

许文选妹妹

割完猪草回来

她上茅厕，关门的时候

门板轻扣，光线垂落

出来的时候，夕阳渐渐隐去

炊烟就像点上的香火

在暮色中也褪得干净

北山脚下的几户人家

染上棉布的香味

散发在四周的田野上

（选自《诗刊》2016 年 9 月号下半月刊）

作者简介

叶来，男，1970 年生于福建三明，现居厦门。福建省作协会员。作品刊于《诗刊》《诗潮》《汉诗》等诗歌刊物，作品入选多种选本，编有《诗三明》《靠近》。

靠近一朵花时，仿佛看见它轻微抖动
它也为这草木的芬芳，想要挥舞翅膀

像某种神秘的隐喻，只身栖息这一处
灰褐色的轮廓，在注视的目光里生辉
暗夜里我看顾着它，相信蛰伏的命运

多年过去，它依然保有最初的安静
两片羽翼饱满，收拢如一面圆镜
我在阳光下看向它，总能看见一束光
闪烁着，母亲对我说它会飞时的神情

（选自《福建文学》2019 年第 3 期）

作者简介

叶燕兰，女，1987 年生，泉州德化人，已在《诗刊》《草原》《台港文学选刊》《散文诗》《福建文学》《福建日报》等发表作品 100 余首，与诗友合著诗集《我们的好时光》。

禾青子作品

在我的莲花镇磨损此生

在远处，还是穷极一生攀越不尽的山峦
还是云雾重叠，青碧漫延
像一幅神奇的画挂在那儿
拦住已经变得视物模糊的双眼

沿着屋角，黑衣服的燕子仍在盘旋
偶尔俯冲下来，落雨之前
它们不带一丝惊慌
就轻巧地掠过眼底永恒的景色

多么亲切，群山彼此环抱，如伸展的莲花
那些开过向日葵的田埂
其实就是一个人童年的词根
我必须回到此处，在我的村庄

渐渐忘记多年的努力
日复一日，辜负着身上朴素的布衣
直到与周围晦暗的屋瓦，相互悄悄磨损
直到将身后事，托付给一个容貌相近的人

（选自《诗刊》2016 年 9 月号下半月刊）

为脚下的溪流命名

从今天开始，右边的这条小溪

要唤作青莲溪
永远不要长大，也不许干涸
好让我们留住村庄里
白发苍苍的父母

左侧的流水，应该命名为恋石溪
每当我把水中的石头搂入怀里
就能感知到
彼此的温度，彼此间
那不可言喻的柔软

它们融合，向远方飘去
应该被称为美云溪
只有最好的云彩
才配得上一江春水
从我的土地流出的光泽

我最终还是没能为它确定一个名字
因为我将被葬在家族的坟地
而它会找到大海
它的国，会收下
那些无名无姓，不曾衣锦还乡的孩子

（选自诗集《为脚下的溪流命名》，团结出版社 2019 年版）

作者简介

禾青子，本名叶明利，厦门同安人，1971 年生，曾在《诗刊》《星星诗刊》等刊发表过作品，有诗作入选多种选本。出版有诗集《稻草人的魔法》《为脚下的溪流命名》等 2 部，福建省作家协会会员。

丘有滨作品

短 歌

躲在我歌中的是哪一位
怀揣悲伤，把雨滴当作粮食
任丰收的愿望在心中慢慢死去

曾有过月黑风高的惊恐
雷霆封锁了天堂，我和春天
两人一同腐烂在还乡的途中

今夜月光是多么的白呀
和着歌声　轻轻把我覆盖。

（选自《诗神》1996 年第 5 期）

暮 春

郊外已没多少宗祠可供祭祀了
大河边的老柳树有忧伤的脸容
蜿蜒而去的河水含有隐忍
从清晨到暮晚
我看见远处上上塔低徊的燕子
仿若亡国者的子民
去意彷徨

西楼作品

陶　罐

再一次把目光
聚焦在前朝的门户里
不愿触及的往事
已锈迹斑斑

小小的破　孤独的光柱
将私蓄的满　凝固
时间语无伦次
试图搬动一个朝代

这样的时间　我开始
煎熬夏天所有的不安
这薄薄的玻璃一片
岂能护住虚空已久的身子

遥远吞吐咫尺
朝着历史的反方向奔跑
持续憔悴的夜晚
持续失落

（选自诗集《穿越白》，海峡文艺出版社 2011 年版）

舞

夜，在冰冷中轻声踢踏

一粒果核潜藏在脚尖

隐秘成长，所有的心事秘而不宣

徘徊的话语，旋转的肢体

在狐步中滑向崩溃

时间让记忆发酵让夜更黑

现在，寂寞开始伴唱

低沉的和声配合季节一起节食

我把我的世界瘦成一支舞曲

窥见悬浮的记忆

隔着一个转身的距离

在隐忍中，把自己舞成一段悲伤

（选自诗集《穿越白》，海峡文艺出版社 2011 年版）

作者简介

西楼，本名黄小玫，祖籍兴化，生于泉州，现居福州。已出版诗集《穿越白》。

吕东旭作品

异 乡 人

在熟悉的人流中兜兜转转
点燃最后一个烟头温暖春寒
他将游走的车灯看作儿时灯笼
一旦拎着就可以在天黑贪玩

异乡与皱纹类似，需要时间雕琢
他熟谙此处多愁善感的气候
习惯以拗口的方言反复默念着
每一条街道和小巷的名字

偶尔热衷观察江边的万家灯火
在深夜跳跃又在黎明熄灭
满怀欣喜　走遍了城市的每个角落

他拥有了世间最皎洁的月光
足以让自己也变得明亮

（选自《扬子江诗刊》2019 年第 1 期）

南 方

一想起南方，我就想起了草木

郁郁葱葱如葡萄般通透明亮

攀爬、辗转在绵亘的山脉上

哦，南方，为了亲近你

一个异乡人不远万里

只为倾听那雨水横溢的季节

每一条河流成了丰满的乳房

为世世代代无私地给予供养

每一天颜色都属于炽热的太阳

那么清新，那么温柔，那么自由

我还要溯着数千公里的海岸线奔跑

累了就入睡，听着满载归航的汽笛

在梦中细嗅茉莉花的清香

（选自《福建文学》2019 年第 5 期）

作者简介

吕东旭，男，1992 年生，福建师范大学文学院 2019 级文艺学博士研究生，福建师范大学南方诗社社长。曾获首届福建省高校文学作品大赛诗歌组一等奖等。诗作刊于《扬子江诗刊》《福建文学》《国文天地》《海峡诗人》等。

吕德安作品

父亲和我

父亲和我
我们并肩走着
秋雨稍歇
和前一阵雨
像隔了多年时光

我们走在雨和雨的
间歇里
肩头清晰地靠在一起
却没有一句要说的话

我们刚从屋子里出来
所以没有一句要说的话
这是长久生活在一起
造成的
滴水的声音像折下一条细枝条

像过冬的梅花
父亲的头发已经全白
但这近似于一种灵魂
会使人不禁肃然起敬

依然是熟悉的街道

熟悉的人要举手致意

父亲和我都怀着难言的恩情

安详地走着

（选自《中国》1986 年第 8 期）

启　示

我们的时辰就像身边坠落的叶片

稍不在意就堆积满地

这些叶片摆脱了树枝

就来纠缠我们的脚步

如果这只是一种幻觉，而我们

又万事像风一样顺利

我们对此就会毫不犹豫地

欢笑地走向目的地

可往往因为烦躁或困惑

和树一样停立许久

无休止地重复单调的语言

时间就给你一身落叶的感觉

也许还会有空隙，让鸟儿啁啾

从暗里飞出，让鸟儿筑巢

也许还会有爱情，但时辰一到

这一切终将把你窒息

（选自《中国》1986 年第 8 期）

沉 默

沉默。有时候我找到他背后
在深处抬起他的石头
沉默，有时候我是发生其中
的一件事。继续拾取着石头

基于我对时光的认识
我深信黑暗只是一片喧哗
的找不到嘴唇的语言
像爱、像雪

沉默是否就是这样一种黑暗
在他的阴影下我尝试着说话
或者我终于能拾起那块石头
远远的扔出他的肩头

（选自《他们》1988 年第 5 辑）

异乡的石匠

再说这个石匠，白天又敲又凿
夜星却像个流浪汉，一点不错——

今天他高兴喊我一声："先生"
那准是又喝了点酒，趁酒兴正旺

才敲响你的门。四处又深又暗
只透出一小片蜡光，让那些虫子
在水边唱得更欢，这就是他
为什么来了，和让我眨眼便记起他

"月光不错"这句话到底指的是
我们来到了一块；可是那一天
他又敲又凿头也不抬一下，那劲头
就好像这世界只剩下了他一个人，而你

却是到了它的尽头。但在山坳里
一个过路人本来听听那石头的声音
也就够了，就像眼下水边的虫鸣
给炎热的一天带来了享不尽的凉爽

但是我终于还是说出了大家都会说的
"先生，你好！"——且不说那时
我是否恰好路过，还是一种攀谈的愿望
那一天我真心真意地问候了他

眼下轮到他手提粗棍（怕是夜里打草惊蛇
用的）——这些事换了我也会这样
那天他又敲又凿，我感到茫然
现在月下漫游，他来到我这里——

我为的是说说话，他却为了好睡觉

（选自《天涯》1998 年第 4 期）

诗歌写作

我离开桌子，去把
那一堵墙的窗户推开
虫儿唧唧，繁星闪闪
夜幕静静地低垂

在这凹形的山谷
黑暗困顿而委屈
想到这些，我对自己说
"我也深陷于此。"

我又回到那首诗上
伸手把烛芯轻挑
这时一只飞蛾扑来
坠落在稿纸上

身体在起伏中歇息
放亮的目光癫狂
等它终于适应了光
信心恢复便腾身

燃烧了自己。前几天
另一只更粗大的
身上的虫子条纹
遮着天使般的翅膀——

也一样，都是瞬间的事
我目睹了它们的献身
使火焰加剧，而
光亮中心也是凹形的

多少年，在不同的光里
我写微不足道的事物
也为了释放自己时
一顺便将黑暗沉吟

（选自《台港文学选刊》2012 年第 6 期）

掘　井

我曾经四处游荡，却最后在
自己的房屋附近找到水源一汪
我望着自己粗糙的手因奋力掏寻
而青筋凸起：那上面龟裂的泥巴

"这是手的雕像，" 我对自己说
但我对日子的记忆却是湿乎乎的
我记得那道水源暗藏在杂草丛中

也是黑色的。"像上帝的居所……"

但这是夜间俯身写在书本上的话
那阵子适合我的就是整天绕着水转
一勺勺地舀，或不停地用那用旧的
辘轳似的嗓门喊出我的心事

但是当我像古人又在纸上写下"泉眼"
这两字，再去挖地三尺时
我所感到的禁忌就像我赤身裸体
冒失地跑过这咚咚响的大地

然而这些都没有让我停止挖掘
我写作时也有一道水源远远瞪视我
我学习着分寸，谨慎地将文字
像原地挖出的石头把大地圈在几米之外

（选自《山花》2014 年第 9 期）

有关我们在此

有关我们在此
如同往日
开门见山地
做一次倾心的交谈

老早就有人预言——

这是一个机会
一个千载难逢
的机会

然而就像从山上
滚下来的石头
话语塞满了
我的嘴

这就像开始不说
说起来又太多——
这超出了有关我们的
那个预言

(选自《扬子江诗刊》2016年第6期)

卖艺的哑巴谣曲

在人群中
我是一条鱼

鱼不说话
鱼的话在水晶中间

在人群中
我是一朵白云

白云不说话
白云的手势也不寻找什么

在人群中
我是一个飘泊的艺人

我不说话
因为我有着芬芳的手艺

（选自《江南诗》2018 年第 4 期）

作者简介

　　吕德安，1960 年生，福建福州人，当代著名诗人、画家，他们文学社成员。著有诗集《南方以北》《顽石》《适得其所》《两块颜色不同的泥土》等，随笔集《山上山下》《在山上写诗画画盖房子》等。2020 年获首届"大益文学双年奖"。

年微漾作品

九百里韩江昼夜流淌

九百里韩江昼夜流淌。不可以太急
太急就会骤变成行军，士兵背起了南宋
壮烈地沉入元朝。亦不能太缓
祭文一日未抵，鳄鱼就继续趴在
头盖骨上，啃食艳阳。太清就柔弱无骨
柳枝取代木棉，太浊就穷凶极恶
广济门竹木门上水门下水门，通通形同虚设
祖先的英灵，因为后裔们四处迁徙
要遭受第二次车裂之苦。它应像织布机
舒缓地流，有节奏地流，带着木头的关节
在流，也暗藏金属的质地在流。它不止
流向反叛和抵抗，也流向回归与顺从
它把雨季织成一段一段的江面，把过客
认作满脸泪水的义子。我曾在江边
入住的三个昼夜，令人记忆深刻，令我拒绝
更多的人，把此间当成故乡。我像个囚徒
对它怀有专制的迷恋，我的爱就是破坏
地图上虚无的祖国，道路旁错误的远方
还有瓜架间多余的花海，只留下方言
给故交写信，劝他们回家，在某个雨天
九百里韩江昼夜流淌，水温适中而生计简朴
我住在江边，易生荣归故里的满足

女人忙于生子，男人要去市集，他等待天晴

如同此刻孩子在摇篮里等待一个姓名

（选自诗集《双程票》，海峡文艺出版社 2016 年版）

饶 平 赋

祖先们在马背上搬运国家，如同树叶

在搬运着风声。夜幕苍茫，星空中

随处可见他们顺手丢弃的银两

如果秋天失血过多，就必须租赁群山

止住伤口，就必须让遍野的草木枯黄

像鹅黄色袈裟，遮住一个朝代

英雄末路的背影。在青天之下草草落籍

终日与闲云为伴，以清冽的水酒

漂白古铜肤色，用大把辣椒

镇压清苦的生活。自有筱竹心甘情愿

走进村庄，成为篱笆、摇篮和碗具

成为一切弯曲的物件，弯曲

就是她的夫姓。道韵楼，我身材矮小的母亲

她的邻居是木麻黄，她的远亲，被图钉

藏在墙壁，她的嫁妆是九百里的韩江

她守着潮汕平原牢不可破的尊严

道韵楼，我身世坎坷的母亲，她能分辨

麻雀的乡音，能看清稻穗撑开乳名

还能听到一群蚂蚁，在午夜

爬过族谱的跫响。唯独她的儿女

跟随子弹，将祖先寄存的山河

一寸一寸地还给北方，唯独她小心翼翼地

将薪柴送进炉膛，借着粗厚的炊烟

掩隐浑浊的泪水，借沸腾的米汤

喊出内心的悲恸。你们远远而来

看见土楼的曲面，像无数次地抬头

都只望见缺月挂疏桐。只有她独自一人

枯坐低矮的屋檐，用尽晦朔，把月亮

一夜夜地喂养大，只有她一人

在黎明前沿着山路，将明亮的家书背上云端

（选自诗集《双程票》，海峡文艺出版社 2016 年版）

在 普 宁

南下的燕子，每经过一片水域

就要换掉一件倒影，整个天地

都是她的裁缝铺。荔枝木落籍他乡

最终穿上一身灰烬，在风中跳皂隶之舞

长者从篝火中，摸出一袭带褶皱的年纪

死后成为山神，城隍庇佑过王师

御赐黄袍加身。他们的父母

久居于乡下，盖着一床比阴天

更粗厚的姓氏，那姓氏就是潮汐

月亮兜售的绸缎，被用于缝制

国家的补丁，不同的故乡骨肉分离

彼时尚在襁褓。洪阳镇的月光

此刻像兴化湾上空的月光的谐音

兴化湾上空的月光，此刻悲悯地

照着那些被掏空了声音的钟

（选自诗集《双程票》，海峡文艺出版社 2016 年版）

韩江远去

我遭遇了突如其来的想念：把头伏在地图上

就能听见韩江入海的声音

江水在陆地的每一厘失去，都像一次永诀

但河床依然宽阔，无尽的雨水

倾注轮回，不朽的悲怆

聚少成多。我原以为雨会赶来

与我依依惜别，没想到大雨

尚未落下，我便已泣不成声

（选自诗集《双程票》，海峡文艺出版社 2016 年版）

作者简介

年微漾，1988 年生，仙游县龙坂村人，已出版诗集《一号楼》《双程票》《扫雪记》。曾参加《诗刊》社第 35 届青春诗会。

朱必圣作品

木头瘦下去

木头瘦下去

夜晚更加稀薄

我的梦最轻，蚂蚁都抬得动

饥饿最简单

任何动物都能理解

即使深夜，它也会不停翻身

像丢失了过去的一件纪念物般不安

我的邻居

没有一个醒来

即使饥渴

他也只在梦里呼喊

白天争吵

溅在地上的唾沫已经干透

全都在空气里

他隐约只见一副面具

上面的笑

也是苦笑

但没有人看见

只有我

捡来，做成了一个句子

（选自《福建文学》2004 年第 2 期）

风吹不走我的肉身

风吹不走我的肉身

它只能刮走我穿的衣衫

衣衫不是我的手

也不是我的一只脚

我的眼睛还连着我的身体

世界的气味

还是我皮肤的气味

一如往常

每一道菜里

我都加入了足够的食盐

直到咸味可以走遍我的全身

我辨认世界的器物

直到看清它的纹路

无论它有多零乱

我还是懂得如何使用

它跟我的身体配合默契

仿佛我们是由来已久的伙伴

共同抗击着突如其来的狂风

每一件生活的器物

它的重量都十分充足
不像我波动的内心
经常像穿旧了的衣物
许多皱折很难再熨得平整如新

（选自《厦门文学》2007 年第 9 期）

一个人夜间出行，出远门

一个人夜间出行，出远门
选择夜间，是因为夜间蝴蝶都是暗飞
此时出门有很多意外
会撞上很多翅膀

一个人谋生，出远门，走夜路
同行的有很多蝴蝶
总有一只可爱的
一路把它带在肩上

一个人，肩上带一只蝴蝶
从起步的地方起步
踩积水，他不知道坑有多深
凡是他丢的，就永远丢失

要是回来，他也不走原路
他一直都是个出门人
身上不是粘满蝴蝶的翅膀

他也会跟意外撞个满怀

浑身尘土，但一切工具干净如新
铁锤、螺丝刀、钳子、锯片一直都沉重而锐利
他建房子又快又牢固
从没有一根钉子被风吹跑

一个人出远门，他越走越远
一出门，身上的工具就哗哗作响
因为饥饿
因为趁夜要把那么多水里的房子搬到山上

（选自《台港文学选刊》2017 年第 2 期）

作者简介

　　朱必圣，男，1963 年出生，福建永泰人。诗人、文学批评家。诗文见诸《世界日报》《新陆诗刊》《东南亚诗刊》等报刊以及一些诗歌选本；文学评论见诸《文艺评论》《当代作家评论》等。

朱谷忠作品

黎明时分

清溪的黎明
只有轻喘的水声
两尾鱼的鳞光如百丈霞锦
令一切水母黯然失色
细听　远方有迅雷不及的潮汛
也许早有预告
绿叶却一语不发湿气淋淋

它们从哪里来　又到哪里去
花一般乱颤
为一个洁白的夙愿
一个永恒的相许
吐出的泡沫溢满芬芳
荡过卵石般铺开的苦难
把创伤也一一抚平

轻吻已没有意义
痛入骨髓的爱
使岸草敛息屏声
灵魂的交织比沙滩稠密
斑驳陆离的腾挪
也许渗有一丝感伤
终又化为亘古未有的呻吟

谁读到谁的第一页呢

谁被谁吸引

也许就这样双双死去

让水的世界多一道神秘

但还要等待多久呢

这清溪原是梦中故乡

黎明到来　有谁会知道尾声

据说海在前方

天亮后水仍难以廓清

想走的路无边无沿

一程程却有揪心的风景

连蛙儿也唱不出自己的歌谣

鱼啊　两尾相亲的鱼

为什么流下的泪水也无影无踪

（选自《诗刊》1999 年 9 月号）

对视一只残破的瓷碗

无法搭起宋词的栏杆

只能席地而坐

面对一只残破的瓷碗

在半帧红尘的意境中

默默交谈

窗外　流浪的风

说闯就闯进了房间
它不知我的心事
轻薄我的衣衫
让瓷碗发出一声轻叹

甭管啦　我与碗
就这样对视着狭窄的空间
从一团泥巴到一个古窑
从一个故事到一个宿缘
窥出了千里云烟

词语开始拍打着我的内心
一会儿是汉水
一会儿是巴山
感觉一种细致的柔韧
早让我梦绕情牵

而今　谁人新塑瓷的梦
犹挥七彩　欲描江山
心　终于泛起了翠微
不问相见何由
尚慰交谈甚欢

(选自《福建日报》2014 年 6 月 8 日)

作者简介

朱谷忠，1947 年生，籍贯莆田，中国作家协会会员。曾任《散文天地》主编，福建省作家协会副主席兼秘书长。著有《乡野情歌》《红草莓的梦》等作品。曾获人民日报副刊"金台"随笔奖、福建省优秀文学作品奖。现为福建省作家协会顾问，一级作家。

朱佳发作品

风来了又走了

整整一个下午，我都被电脑所困
五笔敲打出的文字，始终朝我抛媚眼
像过分热情的夏天，像蚊子，令我无处藏身
而风还是来了，像一把扇子驱赶我
我认为它不是故意的。山峰也不是故意的
搬动不了它，我就和它纠缠不休
这个夏天会发生很多事，但结局早已设定
我知道夏天的陷阱藏得比语词还深
因此，当好心的风来时，我不为所动
因此，陪了我一个下午的风
看我决心已定，看我不理它，来了又走了

（选自《诗选刊》2004 年第 11 期）

秋

一根饥饿的骨头，湮没于镰刀的疯狂
庄稼对田野的背叛，与油菜花和蝴蝶的勾引无关
在无人能觅的荒漠，有人在自制村庄
用料与工期无人得知
在城市最为妩媚的垃圾场
正夜以继日地分类处理诱惑

庞大的行囊，装满瘦骨嶙峋的尊严

如越来越长的街道，盲目地落寞着

目标钉上这个城市最高的水泥柱

刚强而脆弱的擎天柱

在风雨飘摇中坚定地等待蓝图文身

而我的一生都茫然行走的兄弟

还在一步一个脚印地丈量

城市与乡村的距离

闲暇之余，就用烟头

在取净余款的存折上

烫出两个越瞪越大的圆圈

然后与之对视，然后甜蜜地枕着女儿的奖状

面带微笑，和衣而睡

（选自诗集《寮子背》，新世纪出版社 2017 年版）

作者简介

朱佳发，1970 年生，武平人，已出版诗集《寮子背》《人们都干什么去了》，诗评集《在若无其事中抵达美好》，长篇纪实文学《奇奇的世界》。

伍昌荣作品

在角楼上

红绿掩映。露出斑驳的一角
一生承载沧桑。渡成湖上悠远静止
的船
延绵铺展着一田田，一渠渠荷塘

六月，必定有采莲的女子经过这里
推开窗，撷取梦里梦外细碎的声响
有小曲，渔舟唱晚
荡漾开在妹妹红润的脸庞

（选自《中国诗人》2006 年第 4 期）

一朵花落下来

不易被察觉，发现
一朵花落向它的倒影
一朵花落入自身或之上
一朵花回归了大地
一朵花亲吻了自然
更多的花，落下来
如果你的目光，再远些
在溪水，拐弯的地方
你会看见花瓣，此时正在
秘密地聚集

（选自《现代禅诗探索》2018 年第 8 期）

作者简介

伍昌荣，1980 年生，福建省三明市清流县人，三明诗群成员，现代禅诗协会会员，诗作刊于《中国诗人》《海峡诗人》等刊，入选《中国网络诗歌精选》等选本。

伍明春作品

水　仙

父亲　让我们坐下来谈谈水仙
家中这两个匆匆的过客
它们被一再推迟的花期
究竟因为什么。冷空气
不可能是唯一的理由

有多少水仙正在开放和凋谢
而我们的两盆水仙
仍在相互期待　彼此观望
像一对久违后重逢的老友
见面时说不出一句话来

多么希望它们永不开花
高举花苞　保持青绿
就如我们之间的情义
无须太多的语言道破
就让秘密在秘密中汇合

桐韵的汤姆猫

它不说猫语　尽讲人话

带着浓重的互联网口音

当小肚子咕咕作响

它的礼貌却胜人一筹：

"我饿了，请喂我！"

于是送上电子版饮料和蛋糕

隔着透明的手机触屏

桐韵每天给它喂食　换装

还不时给它挠一下痒痒

甚至恶作剧地敲它厕所的门

她的快乐　如此真实

挣脱虚拟世界的无形牵引

不知道桐韵会喜欢它多久

现实世界的狗吠鸡鸣

也在不时转移她的注意

不过可以确定的是

像我梦中通往故乡的柔软铁轨

它正暗暗形成她自己的乡愁

（选自诗选集《诗想长安》，海峡文艺出版社 2017 年版）

作者简介

　　伍明春，1976 年生，福建上杭人，文学博士，现任福建师范大学文学院教授、硕士生导师，兼任福建省文艺评论家协会副主席、福建省美学学会副会长等。已出版诗集 2 部、诗学论著 3 部。

伊路作品

殿　宇

又是那几只黑鸟儿
在棕树扇形的大叶里翻飞
有什么比这更好看的吗
真是神的殿宇无所不在
棕树那不引人注意的果子熟了
一串串黑玛瑙似的
会让羽毛更乌亮

我认得这只　那只
又错乱了
干脆把它们统一称为
被宠爱的孩子

你也是被宠爱的孩子啊
有了这样的一棵树
这样愉悦的时刻

（选自《中国诗歌》2017 年第 10 期）

海难者的母亲

那些鱼会含走你的眼珠

咬断你的手指头
扯散你柔软的头发
我曾经搂在怀里的儿子

我的灵魂夜夜踩着波浪的刀斧
一次次被砍劈下深渊
哪个深渊里有我的儿子

我怎能使海不动
让风不要改变方向
今夜你又卡在哪片礁丛
被锋利的石片割得满是裂口

残酷的想象把神经铰成一段一段
我还要把它们接拢
用来感知烟波上的消息
把海底搜索一遍又一遍

痛苦像宇宙一样没有边界
我仍要把它围抱
我的儿子在里面
一个母亲
能抱住最大的痛苦

（选自《诗刊》2018 年 3 月号上半月刊）

台风将临

最低一层的云　在飘
露出上一层的云　在飘
再上是墨蓝的穹窿嵌着一个月亮
驻足仰望的我　忽然就拥有了
高大
亮着灯的楼宇

裙摆大幅度飘拽起来
提示台风将临
蚂蚁和虫子都躲到洞里去
我也回到自己的小窝

外面树木翻滚　怒涛拍岸
外面也是里面
我的小窝在最里面
我的心在最外面

（选自《诗刊》2018 年 3 月号上半月刊）

迷途的羊

他在放牧几只羊
放眼背后重重峰峦
想哪一座里藏着老虎
哪一座有狼还带着小狼

他看到更深山的后面
一群狮子
正渡过一条大河

太阳能让山河亮
也让它生出各种阴影
月亮像似不通俗事
却把黑暗看得最透
有时天蓝到底　星星也一个都没有
疑惑那蓝是最大的遮蔽

他为他的几只羊
使简单与复杂一遍遍颠覆

他的几只羊
在风暴的一条条路上吃草
瘦下去又肥起来
满眼是深邃的清澈

他跟在他的羊后面
如迷途的羊

（选自《扬子江诗刊》2019 年第 1 期）

作者简介

伊路，1956 年生，福鼎人。已出版诗集《看见》《永远意犹未尽》《海中的山峰》等。获福建省优秀文学作品奖、福建省百花文艺奖、"扬子江诗刊"诗学奖，诗集《海中的山峰》（英文版译者为 Fiona Sze-Lorrain）入围美国 2016 年最佳图书翻译奖。

后后井作品

石　头

把石头抱进摇篮

那一夜

我摇了一年也未让她入睡

过了十年

你们仍然不知道

我用一百年

都无法替谁哭泣一回

一千年里

每每想起此事

我就会苦笑着

从另一块石头上

翻身下来

（选自《新世纪闽东诗群作品卷》，长江文艺出版社 2016 年版）

借　助

一张梯子搭在月亮边上

中间是我的腰，是风雨飘摇中

隐隐作痛的柔软

有时弯曲着它

是在往上爬

有时挺直着往下滑

更多时候，把自己横成桥

桥下有床和流水

如果还有爱情

她肯定会喧嚷不停

直到这个夜晚

这个身子

啪的一声断成两端

（选自《新世纪闽东诗群作品卷》，长江文艺出版社 2016 年版）

作者简介

后后井，本名郑颂，1967 年生，福建屏南人。现为某公司职员。有作品入选《新世纪诗典》《闽派诗歌》《新世纪闽东诗群》等。

冰儿作品

在孤独中慢跑

漫长的弓腰后
那道比我埋伏更久的白线
在节节溃退
一条红色火龙带动我奔跑
有时我身体某个部位会留下
灼伤的痕迹
那是因为通往前方青草地的途中
天上的神还来不及
准备充沛的雨水

途中有人大声喊加油
树叶簌簌往下掉
像一群受惊的鸟
等它们适应那些断裂带
反弹过来的回声
并学着发出同样的叫声时
我已加入慢跑行列一月有余
懂得了调整自己的位置

整个晚上我两肋生风
如一只张开翅膀的鸟
屡屡俯冲悬崖而又绝处逢生
如果某一刻我突然静止
弯腰拢好一堆落叶
那一定是有人在拐弯处喊停

我无意中冒犯了他的孤独

（选自诗集《青弦》，现代出版社 2015 年版）

一座湖是一个人世的道场

湖水折射出所有的真相
一尾鱼被迫现出木鱼的原形
当我们将呻吟压低
它变成引领我们前行的梵音
向左是茂密的红树林
蚯蚓在潮湿的腐殖土上刨挖不止
枝杈间摇晃的鸟巢
让我们重温了童年掏蛋的快乐
向右是城市的霓虹灯
一个窗口就是一枚燃烧的火种
每当它熄灭转为黑暗
就有一个身体被超度进入天堂
而湖，已经忍受不了如此巨大的空旷
缩小成井的模样
我们在一只青蛙
一次次跃向井口的过程中
感受到一个正在逼近的真相

（选自诗集《青弦》，现代出版社 2015 年版）

作者简介

　　冰儿，本名戴乐阳，1976 年生，湖南双峰人，现居厦门，已出版诗集《月光的白色药片》《冰上七步》《青弦》《月光是穷人的汤圆》。

庄文作品

一个黑衣人在漫步

一个黑衣人在漫步
一条河在跟踪
一片树叶死在路上
一盏灯笼
张着充血的眼
想说什么
却一直找不到嘴巴

（选自《诗刊》2015 年 6 月号下半月刊）

这一群男女

这一群男女
为大海奔涌
全然不顾风言风语
千里迢迢地上路
光影斑驳地隐没
所剩无几地结束

他们的快
相视一笑的静
让夏雨湿了春风

那个缩进睡袋数星星的家伙
翻个身进入青草地
一只卢梭式的狮子
正低头细细嗅他的梦

（选自诗集《那只汉字一样的鸟》，南方出版社 2013 年版）

画　室

他是我多年未见的朋友
离婚独身，仪态倨傲
领着我走进四面灰色的房间
阳光的浮尘落在寂静上

一只黑虫怯生生地
爬过门缝，一些细微的声响
在耳边熠熠闪光。拔翅飞起
是画框中墨色老鹰

他坐下如一团树影
或者瞬间化成一片废墟
他赤脚踩着的地毯
有着欲死欲仙的鲜艳狂放

"在所有的忧伤中
唯一的伤害就是荷尔蒙下降"
和他喝着茶，看着窗外的闽江

江水浮动的恍惚，恍惚中望见
时间深处的虚空，忘记了

少年时将画要画的画——
那些西洋的楼房，桥墩
孤零零的一只笼中的鹦鹉
忘记了自己其实一直坐在这里

（选自诗集《诗歌榕城》，海峡文艺出版社 2018 年版）

作者简介

　　庄文，男，1967 年生，连江县人，出版有诗集《夜里》《那只汉字一样的鸟》，曾获福建省第 28 届优秀文学作品奖暨第 10 届"陈明玉文学奖"佳作奖。

庄伟杰作品

锯或者舞蹈

不断地锯。锯成锥的形状
重要的是，恰到妙处。譬如——
对一棵生长的树，锯掉所有的多余
精心修剪，进行强化
留存下最坚硬的主干和枝丫

灵魂的锥体，敏锐、晶锐、劲锐
可以竖着放、横着放、倒过来放
双手像抓住利器，反复琢磨
镶满了风吹活的词花
复活一束飘忽的往事或记忆
删繁就简的造型，就这样
舞蹈起来，仿佛心的搏动和颤音

白天的喧哗渐渐消隐之后
夜色和锥体一样变得尖锐无比
深入，洞悉，切剖，隐隐作痛
展开自我放逐，我要锯开自己
锯开这俗世中尚存的某种定式

（选自《诗歌月刊》2015 年第 4 期下半月刊）

南十字星空的蔚蓝

关于蔚蓝，南十字星空从未轻易说不
哪怕常有几朵白云在它身边晃悠
或者飘荡，演绎消逝或归来

在海天一色之间，那些前来观光的游人
为此交口赞叹，甚至禁不住向蓝天敬礼
那么辽阔的南十字星空，总是

以沉静以高远，回敬微微的笑意
这天空真的好，亘古原貌的好
连大海也主动与它相映成趣
令人好奇又叫人惬意的，真好

天地各有其运，各有其景其情
彼此相互守望，唯景色完好如初
这应是这片蓝天的品格吧

当我无意间抬头，望一望
再读一读眼前阳光的人流，阳光的欢乐
小小的心城，似是披上一抹纯蓝的静美
连寂寞和孤独，也变得辽阔起来

学会欣赏，且懂得珍惜真好
感谢这片天空，也感谢这片大地

固然同属于异质，却以开放姿态
收留我的流浪，在混浊的世界

哦，南十字星空的蔚蓝
蔚蓝了我们，共享在同一片蓝天下
以飞鸟的逍遥，守住虚空和自由
怀抱宁静，或者归于无限

（选自《中国诗人》2017 年第 3 期）

作者简介

庄伟杰，生于 1960 年代中期，泉州人，旅居澳洲，曾获中国当代诗人杰出贡献金奖、华语杰出贡献诗评奖等，作品入选多种选本，已出版《神圣的悲歌》《精神放逐》《岁月的馈赠》《流动的边缘》等。

刘小龙作品

大海自白

我生命的颜色
是最集中的单纯，叫作蓝
有时蓝得黯淡
有时蓝得辉煌

想象若一口大钟
在潮汐轮回中悠悠鸣响
也曾低沉
也曾高昂

云吻过
船吻过
鸥鸟吻过
我举柔情千浪
如多梦的少女满怀春光

也曾振鬃咆哮作雄狮一怒
而对邪恶的猊猖
风砍
雷劈
我自啸傲穹苍

管他是一脉涓滴
凭你是长河大江

清或浊

红或黄

伟大或渺小

高贵或卑贱……

我敞怀一纳更加浩浩泱泱

裸万爱之躯

成众心的磁场

有位歌者

拟将最后的头颅

搁在我的水平线上

做长吟不返的岛屿

浮也不喜

沉亦不伤

共我千秋万岁

一样肝肠

（选自《诗刊》1995 年第 11 期）

大海与他的小白帆

（你说他是大海，是的。）

他的生命涌动着强悍的蔚蓝

以沉、广阔

承受你——

流浪的小白帆

他喜欢在每一个

澎澎湃湃的日子

磨太阳做你的胸针

雕月亮做你的耳环

裁一段海水

做你的拖地蓝裙子

让海鸟们伴你

在风中嬉戏飘旋

你太娇弱了

似乎难禁他野性的爱怜

即使最是温存的慰抚

也令你美丽地惊颤

当你十八岁的航行

被老海妖甜蜜的歌谣诱引

滑向苦难的无边

他以一浪正直的怒吼

覆灭了你的梦幻

那因爱而撕裂的胸膛

成了无法拒绝的岸

他只是为了完成

做一个海的男子汉

（——理解他么

流泪的小白帆？）

（选自《福建文学》1996 年第 2 期）

作者简介

刘小龙，男，1955 年生，福建东山人，中国作家协会会员。已出版诗集《爱的蓝宝石》《蔚蓝的情怀》《蓝土地情歌》》等。

刘少雄作品

婴儿般熟睡的谷粒

在一片清脆的镰声中
这些金黄而饱满的谷粒
离开纷繁的枝叶
离开沉甸甸的日历
走进渴望已久的晒场
像熟睡的婴儿
在阳光的照射下
美丽无比

这是农人一生中
最最忙碌的时刻

如同新娘守护
一个如期而至的梦
农人守护着蓄满阳光和汗水的
谷粒
熟稔的日子
使他们表情丰盈
就连落地的影子
都充满爱意和温馨
当他们按捺不住心头的喜悦时
他们便用竹篦一遍又一遍

抚摸这些熟识而可爱的脸庞

这是农人一生中
最幸福的时刻

年复一年　代复一代
农人种植谷粒守护谷粒
谷粒养活农人　这种
原始而质朴的关系
亘古不变
——如太阳与大地的恋情
最终穿越岁月和风雨
结成这甜蜜的誓言

当古老的谣曲
沿眉梢的笑意遥望的目光
成为季节响亮的回声
当圆满的谷仓
以囤尖的辉焊
成为乡村最醒目的风景
一个酩酊大醉的秋天
便又一次走进农人
那节日一般热烈的盛典

（选自《芳草地》1992 年第 1 期）

瘦雨江南

四月　下着瘦瘦的雨
江南的鞋子走失在青青的草丛里
被一只蚱蜢误作空空的穴居

四月的瘦雨里
是谁　深一脚浅一脚走过
那册线装的唐诗

四月　下着瘦瘦的雨
瘦瘦的雨　浸透梅子的心
也醉了杏花村的酒旗

四月的瘦雨
是游移在牛背上的牧笛
吹奏出串串悠长悠长的江南流韵

四月　下着瘦瘦的雨
一把未撑开的油纸伞
袖着一笼烟云

四月的瘦雨
在青砖的古巷里
飘落一段紫丁香般的爱情

　　我穿行在四月　穿行在

瘦雨的江南　一页一页地

撕下这些滴水的日子

（选自《西部》2016 年第 11 期）

作者简介

　　刘少雄，笔名南河。1965 年生，福建上杭人。中国作协会员、中国音乐文学学会会员，龙岩市文联兼职副主席，龙岩市作家协会主席，闽西日报副刊部主任。已出版诗集《有座红房子》等。

刘伟雄作品

花园

那一夜你喝了酒
葡萄架下你跳着舞
多美！神在看你
时间在等你

你一说话　花就开了
四溢的芳香　生命的每个角落
都光芒万丈
你唇边的绒毛
使梦有了质感

这一刻　一盏萤火
从夏天的深处飘来
主人　让所有的园丁退后
一朵葵花和月亮
悄悄细语

（选自《人民文学》2002 年第 3 期）

小城黄昏

一条死去的河　永远

都是从历史漂出的味道

闻久了　　也就没有差别

小浮莲张扬得让晨昏也有

肿胀的那份感觉

夕阳　　曾经从瓦房上落下

现在　　它从高楼的腰部擦过

尘埃里的飞鸽找不到橄榄枝

它只找玉米　　那些广场上的施舍

黄昏的诗意便有了几分和平的景象

远处车站的钟声　　报时的沙哑声音

不会是人造的磁性吧　　她怎么没有

早年我听到的那份纯美　　那时候

南来北往　　匆匆而去的人流

都像被一条鞭子催赶的羊

暮色中　　小城的华灯初上时

一些老人走出了家门溜达去

一些孩子放学在敲自家的门

有些垃圾被抛在了街沿

呼啸的机车使斑马路也在颤抖

新闻联播的音乐声里

我在这里茫然地四处张望

哪条巷子会走出我过去的亲人

（选自《诗歌月刊》2011 年第 6 期）

小小蜻蜓

世界的缤纷
不敌你透明的羽翼
那份诱惑的清白
使微风也有了固定的
方向

活在世间的短暂
不因这生命的薄而哀叹

来来往往的自然界
用一枝初秋的枯丫
题写你最美的墓志铭

（选自《诗刊》2012 年第 5 期）

乌鸦，在电视塔上

一群乌鸦　幽灵一样盘旋在
高高的电视塔上　它们想进入直播
抗议还是声援　我担心它们
剖腹自尽之后　羽毛会风化成
细碎的微尘　在禽流感的季节
将地球的恐慌放大几倍

可是　冬天知道的所有神秘

必然不会有太多的情节　痛的时候

药膏会起作用　让麻木的神经

化成一声声嗥叫　鸟有了狼的习性

天就会下着无休止的黑雨

那些钢铁的架构在地震之后

依然是冰冷的

一群乌鸦，飞翔在电视塔上

让森林纷纷停下生长的速度

季节被违背的规律里

幻化成一堆烟尘里的影

突然看到天空喑哑着

垂下的头颅就当是黑夜的卵巢吧

（选自《诗探索》2013 年第 2 期）

作者简介

刘伟雄，男，1964 年生，福建霞浦人，中国作家协会会员。著有诗集《苍茫时分》《平原上的树》《呼吸》（合集）。编著《丑石五人诗选》等。作品入选《中国年度诗歌选》等多种选本，多次获福建省百花文艺奖等奖项。

刘志峰作品

像爱生活一样去爱

你是我爱情中不死的灵魂
在三千个起起伏伏中
我靠近你、再靠近你
在一千米、四百米、两千米的变幻中
血压突然升高
而爱情却经历了波谷和高潮

烟云迷雾下若隐若现的生活
它的色泽
不是生活的本真
也不是爱情的寄托
反光或者倒影
红色、绿色或者蓝色
都要期待一场雨来洗涤

我如果还爱你
就会像爱生活一样去爱
在每一次的旋转中挣扎
把平静留给大地
把壮阔交给自然

（选自《福建文学》2012 年第 2 期）

微澜生香

在海上
一块礁石就可以阻断你的去路
一块礁石
也能让浪花生香
你闻不见的芬芳
只有浪花自己作最后的表白
绕过已碎的泡沫
或可展开我们新的航程

（选自《福建文学》2012 年第 5 期）

作者简介

刘志峰，1972 年生，泉州人。现供职于福建省作家协会。中国作家协会会员，一级文学创作。已出版诗集《我是你的距离》《无人之境》《生活经典》。

刘祖新作品

李 太 黑

哥哥，你走了
留下那些数据，没有释义
的信息，江湖术士，五步杀人

你曾说：刹那与永恒
只隔着你的剑，我因此
而着迷，早年间，还是在
西山下，隔着电脑屏幕常
把你下载到杯子里，反复
猜测，yy，1kb 又 1kb 的
d 罩杯，不断在肌肤隆起

有时候我也醉心巫术
渴望长出一条尾巴，让手机
生刺，仿佛一个又一个
受伤的应用倒在后台，程序
下令，全军出击

（选自《青春》2018 第 2 期）

室内幻想

即使是在现实中，也要警惕那些
虚构的事物，一不小心，我们
便失真，成为传说的分子
宿舍内空旷的床铺，以及
常常抽搐的空调，让一个
庞大的真相溺水

你也许是一条烤鱼，历经愤怒之后
浑身冒着烟，不同的处境，使你
一头扎入幻影出没的深潭
仿佛一下子钻进被窝儿
享受时断时续的梦境

零点已过，时间越过午夜
洞穴般的世界：你的身体
由黝黑的鱼群组成，游荡在
液态的梦境，填补现实的漏洞

（选自《青春》2018 第 2 期）

作者简介

刘祖新，1998 年生，山西大同人，就读于福建闽江学院，诗歌见于《青春》《草原》
《散文诗》等。

刘登翰作品

选 择

假如我是一片云
我愿化作雨露，把大地滋润
虽然，我从天空消失了
那斜依青山的彩虹
便是我的灵魂
假如我是一朵花
时序更易，我将调零
但这是我的成熟
种子洒落大地
便又开始一个新的生命
不！我绝不怨艾
我的青春
虽然早近，却仍缤纷
假如让我重新开始
我依然选择这条艰难的旅程

（选自《滇池》1981 年第 7 期）

中 秋

这一轮月亮很古典
从陶渊明的那片天空

（东篱菊开成一幅水墨）
向我们瞻望
悠悠南山

迪斯科把夜撕成好几瓣
每瓣都在脚下
旋成一朵七彩莲花
那年李白也是这样跳的么
当举杯邀月，对影成三
滟滟河汉

月亮跳进水里
洗一个很现代的海水浴
怎么也洗不去岁月的牙黄
水里嫦娥的舞袖
一定比广寒宫多情
关关雎鸠

阳台很大
好像专门为了承接今晚的月光
谁说露天舞会只属于
一九八五年的我们
下一支曲子是伦巴
婵娟，我请你
"幸福的恰恰"

（选自《诗刊》1986 年第 1 期）

瞬　间

所有丢失的春天
都在这一瞬间归来
所有花都盛开，果实熟落
所有大地都海潮澎湃

生命像是一盆温吞的炭火
突然喷发神异的光彩
每个日子都因这一瞬间充满意义
所有痛苦等待都不再难挨

像梦，携一朵云，欸欸飘来
像星，凝两颗泪，灿灿绽开
生命在这一瞬间进入永恒
世界因这一瞬间多姿多彩

（选自《诗刊》1990 年第 5 期）

静　夜　思

月光是回家的那条路
漫上额际的滔滔水声
载我汹渡

是母亲满头漂白了的岁月

被眼睛击破的那片天空
再也无法重补

是我猝然发作的伤口
隐然听见
童年丢在后园的那句惊呼

（选自《诗刊》1992 年第 2 期）

作者简介

刘登翰，1937 年生，福建厦门人，1961 年毕业于北京大学中文系，福建省社科院文学研究所研究员。著有诗集《山海情》（与孙绍振合作）、《瞬间》，诗学论著《中国当代新诗史》（与洪子诚合作）等。

关子作品

不能停止的练习

躺着，如两扇门
光从窗外侵入，空间有柔软的明媚
我们的身体喃喃低语

这么多年，我们想要的，无非是
像一面墙板，严丝合缝
而木刺，在路上

不经意的，无休止的，带着
轻佻却是尖锐的爪子。练习如中蛊
探入，握住

寻找刺，挑开刺
木刺好像执念，难以抽离。身体的路径
滑过整个手掌上的世界

翻来覆去
眼瞳里的另一双眼睛
沿着木纹的原始气息，无限循环地逼近

进入。成为彼此的对方
隐形的他者。升腾而起的云端

或许到过，在某刻。木刺毫无踪影

（选自《长江文艺》2017 年第 10 期）

雨　天

很久没在雨中

奔跑

没等到伞

我听到你的咒语

夜里起身

碎石子跟在后面

你看，我果然无法出声

布列瑟农有流水的声音

我指给你看

观音莲的硕大安静

话题就是从雨天开始的

它们最后都飞走了

很久没在雨中奔跑

你在干什么

我想送你几束雨扎的花

（选自《诗刊》2018 年 3 月号下半月刊）

作者简介

　　关子，1970 年生，祖籍长乐，现居福建永安。福建省作家协会会员，三明诗群成员。已出版诗集《陌上花》《无声绿》。

汤养宗作品

船 眼 睛

她举起那双平时捏得渔汉子
骨子酥麻麻的手
左涂右抹
两只眼睛便美美地睁在船头了
船　多情起来
海　多情起来
再野性的渔汉子被这双眼盯上
今后就该知道什么叫"女人"了

她说再也不用站在滩头等他归航
（她才不把自己站成望夫石呢
那晚她用头撞他礁盘般的怀
说等他在海上一死就嫁人
但今天她在船头画了这眼睛）
渔汉子用缆绳和铁锚对付船
她对付他比缆和锚更管用
说有眼睛的船应该比小猫小狗更有灵性
说它过去不听话那现在起就该听话
说以后不要老是迟迟忘返
说也不要三天两头在梦里翻船
说从今起风暴会在他船头让路
说有这双眼美人鱼不敢来迷惑他

说她不再怕骗她一切都会看见
说这是船的眼睛也是她的眼睛

她把一个年轻渔妇的心画在船头
风会理解　浪会理解
她用这双眼护着渔汉子的航行
船再也驶不出她的眷念

（选自《福建文学》1985 年第 12 期）

船舱洞房

　　闽东沿海，几乎所有的"连家船"都居住着一家三代。他们白天捕鱼劳作，入夜便一家大小挤在窄小的船舱共席同眠。那么，在儿子们的新婚之夜呢？……

要是能像鱼儿双双沉入水底就好了
但你别无选择
那就在爷爷奶奶当初成亲的舱里脱下吧
脱成美人鱼那样
酒喝过了，是时候了
这是多么神秘而诱人的捕获呵
遮上舱窗因为夜海的星空眼睛太多
而对并躺身边的人却可以漠然
父母们还不是也当着他们的父母脱过
弟妹们今后
也要在这艘船或那艘船

像你们今夜这样

露出你礁盘般的男性来

露出你波浪般的女性来

带着海给你的粗犷野性

无拘地发出你对生命渴念的呼吸

所有正常的顾忌在这里都被拉断了缆绳

有尴尬也不是从今夜开始

既然你们被鱼罐头般塞在这舱内

可生命的渴念可以挤掉吗

撒渔网哼渔歌可以挤掉吗

传宗接代可以挤掉吗

岸上人要摇头就摇头去吧

没有更多的值得解释

也不习惯作什么太难的深思

你们只知道在这个新婚初夜

脱得像两条鱼和一家人挤一块

全家人默许

你们也愿意

看呵！多么神秘而生动呀

这艘船轻轻、轻轻地摇晃起来了

在这多眼睛的星空下

是海突然起风了吗

（选自《福建文学》1986 年第 8 期）

在汉诗中国

老天留眼，让我在自己的国度当个草民
让我在两条河流之间，看星星在树梢上摇晃
接受该来就来的雨水，也要和
脚下的蚂蚁说话，一些瓷器依然被我作为气体摆设着
街边，有人排着棋局，然后在一旁抽烟，直至天黑
村西有戏台，看戏的人将自己责难
墙角有花朵，片刻之后，就要放弃对谁的感激
在一切低处的物类中，有小脚不断踩到我
我认得一些汉字，会写诗
与自己祖国的母语一直热恋，对人说：
"哪怕你骗我，也幸福得要死"

（选自《人民文学》2006 年第 10 期）

立字为据

我是诗人，我所做的工作就是立字，自己给自己
制订法典，一条棍棒先打自己，再打天下人
有别于他人，立契约，割让土地，典老婆，或者
抵押自己的皮肉，说这条虫从此是你的虫
我与鸟啊树啊水底中的鱼啊都已商量好，甚至是
一些傲慢的走兽，闪电与雷声，我写下的字
已看住我的脾气，这是楚河，那是汉界，村头
就是乌托邦，反对变脸术，釜底抽薪，毒药又变成清茶
我立字，相当于老虎在自己的背上立下斑纹

苦命的黄金，照耀了山林，也担当着被射杀的惊险

恨自己的人早备下对付自身的刑具，一个立法者

首先囚禁了自己，囚牢里住着苍茫，住着虚设的罪名

也住着亮晃晃的自己所要的月亮，我立字

立天地之心，悬利剑于头顶，严酷的时光

我不怕你，我会先于名词上的热血拿到我要的热血

（选自《人民文学》2012 年第 7 期）

断 字 碑

雷公竹是往上看的，它有节序，梯子，胶水甚至生长的刀斧

穿山甲是往下看的，有地图，暗室，用秘密的吃语带大孩子

相思豆是往远看的，克制，操守，把光阴当成红糖裹在怀中

绿毛龟是往近看的，远方太远，老去太累，去死，还是不死

枇杷树是往甜看的，伟大的庸见就是结果，要膨胀，总以为自己是好口粮

丢魂鸟是往苦看的，活着也像死过一回，哭丧着脸，仿佛是废弃的飞行器

白飞蛾是往光看的，生来冲动，不商量，烧焦便是最好的味道

我往黑看，所以我更沉溺，真正的暗无天日，连飞蛾的快乐死也没有

（选自《诗歌月刊》2013 年第 5 期）

祷 告 书

我一生都在一条河流里洗炭

十指黑黑。怎么洗，怎么黑

我一生都在一条河流里洗炭

怎么黑，怎么洗。十指黑黑

（选自《福建文学》2016 年第 9 期）

纸上生活

在纸上挖山，种树，开河流，当建筑师
也陪一些野兽睡觉，当中，还喜欢
看夕阳西沉，怀想谁与谁不在眼前
便又涂改两三字。至此
一张纸才真正进入黑夜
更多时候，我绕着纸上的城堡跑
在四个城门都做下记号
为的是让时光倒流，也为了可以
活得更荒芜些。我借此相信
一个人有另一座坟地另一个故乡
并可以活得与谁都无关
这一捅就破的生活，为什么要一捅就破
真是命如纸薄，每当我无法无天
像个边远的诸侯，过得真假难辨
便知道，这就叫纸包着火
我又要撕了这一张，在人前假惺惺再活一遍

（选自《人民文学》2017 年第 2 期）

寻 虎 记

如果没有意外，我养在寺院里的猛虎

已经能诵经，抄卷，主持功课

可谁也没有认定这是觉察而非思辨

有一些腥味走动在月色里

还有一些吼声像失败的魔法，成为

无效的传奇，国家的词典

继续反对我写下这些含糊闪烁的镜像

可要申辩的是，每一个夜晚

都是古老的夜晚，微风的脚步声

也是来回走的，大殿里大香袅袅

偶有不合群的木鱼游离而去

铁塔有不安的心，藏经洞还有另一个出口

有人在寺院围墙外喝酒

皮肤慢慢长出了花纹，声音变尖利

他开始用反驳替代所坐的位置

忽地夺路而去，目击者仓皇作证

院内那棵菩提树突然着火

我寻常死死看守的语言深处，手脚大乱

在一块岩石上摸到了皮毛

又听见有人喊我师父，耸了耸斑斓的肩膀

（选自《人民文学》2017 年第 2 期）

作者简介

汤养宗，1959 年生，当代著名诗人，闽东首府霞浦人，出版有诗集《去人间》《制秤者说》《一个人大摆宴席　汤养宗集　1984—2015》等七种。先后获得鲁迅文学奖、福建省政府百花文艺奖、人民文学奖、中国年度最佳诗歌奖、诗刊年度诗歌奖、新时代诗论奖等奖项。

安琪作品

明天将出现什么样的词

明天将出现什么样的词
明天将出现什么样的爱人
明天爱人经过的时候，天空
将出现什么样的云彩，和忸怩
明天，那适合的一个词将由我的嘴
说出。明天我说出那个词
明天的爱人将变得阴暗
但这正好是我指望的
明天我把爱人藏在我的阴暗里
不让多余的人看到
明天我的爱人穿上我的身体
我们一起说出。但你听到的
只是你拉长的耳朵

（选自《诗刊》1997 年第 1 期）

像杜拉斯一样生活

可以满脸再皱纹些
牙齿再掉落些
步履再蹒跚些没关系我的杜拉斯
我的亲爱的

亲爱的杜拉斯！

我要像你一样生活

像你一样满脸再皱纹些
牙齿再掉落些
步履再蹒跚些
脑再快些手再快些爱再快些性也再
快些
快些快些再快些快些我的杜拉斯亲爱的杜
拉斯亲爱的亲爱的亲爱的亲爱的亲爱的亲

爱的。呼——哧——我累了亲爱的杜拉斯我不能
像你一样生活。

（选自《诗林》2003 年第 4 期）

风过喜马拉雅

想象一下，风过喜马拉雅，多高的风？
多强的风？想象一下翻不过喜马拉雅的风
它的沮丧，或自得
它不奢求它所不能
它就在喜马拉雅中部，或山脚下，游荡
一朵一朵嗅着未被冰雪覆盖的小花

居然有这种风不思上进，说它累了
说它有众多的兄弟都翻不过喜马拉雅

至于那些翻过的风
它们最后，还是要掉到山脚下

它们将被最高处的冰雪冻死一部分
磕伤一部分
当它们掉到山脚下，它们疲惫，憔悴
一点也不像山脚下的风光鲜
亮堂。

我遇到那么多的风，它们说，瞧瞧这个笨人
做梦都想翻过喜马拉雅。

（选自《十月》2008 年第 5 期）

只要还有

在天空的博物馆展览你飞行的痕迹
推动仰望向着更高处的云层穿射直到挤干
时间的水分

成为遗愿
成为枯木的幸福（幸福有一副枷锁的形状）
成为风暴中散步的一个人
一个人牵着风暴的手也要走
一个人被风暴撕成碎片也要血肉纷飞地走
湿漉漉地走
假使你细弱的呐喊曾抓破喉咙由此被我听见
我会把你从呐喊里揪出

狠狠地扔进异乡的梦里

看，滚下大海的太阳第二天又垂直升起
在海面上——
它敲打你的力量带着新生命的柔软和强劲

那曾孕育你飞行的元素从沉睡中探身而出
头顶黑夜的雾幔
把你的翅膀叫醒

只要还有一根羽毛懂得疼痛

（选自《中国作家》2013 年第 9 期）

故乡雨夜依旧

返乡的水
游荡在故乡的雨夜
返乡的水混同故乡的水
游荡在故乡
瓢泼的雨夜
雨夜中一朵朵伞花游动
每一朵都藏着
古老城市的泪滴因为这是
故乡的雨
故乡的水
因为这是离乡背井人羞愧的往昔
我肯定不是良家妇女
我肯定我不是良家妇女否则就不会

背井离乡

我应该守着故乡红砖墙和雨水浸润出的

黑褐屋檐

生一个女儿抚育她成长

生一群乱跑乱叫的梦想

看它们汹涌

看它们枯萎

我应该守着故乡红砖墙黑褐屋檐下的老父老母

牵他们度过旺盛的中年

牵他们度过衰竭的晚年

我应该守着故乡的荔枝、龙眼，和杧果

守着水仙、玉兰和木棉

守着榕树、樟树和槐树

守着地瓜和地瓜腔

守着我们的闽南语

但我没有

雨夜潮湿，苔藓潮湿

西桥亭旧壕沟已更名宋河

大通北黄江嫔已更名安琪

举着流水的雨伞行走在故乡的青条石板路上

故乡雨大依旧

故乡依旧

浇灌我，用有情有义的雨，用悲欣交集的雨和水

（选自《闽南日报》2018 年 6 月 11 日）

作者简介

安琪，本名黄江嫔，1969 年生，福建漳州人，已出版诗集《奔跑的栅栏》《极地之境》《美学诊所》《万物奔腾》及随笔集《女性主义者笔记》《人间书话》等。

许燕影作品

湍 急

迷恋水域的人
必定爱着空旷和流动
是的，她有暗藏的羽和禅定的心

她在水边书写情书
逼出内心的空，倾听
她听到湍急，高于云朵低于水域

而夜退回深陷的黑
她未曾临近，最终疮痍满目
她在秋风里追赶着秋

一扇门就这样不经意打开
一扇门又被刻意关上
半生缺席半生误读
半生都在错过

风起，临水，
她总是错爱误读的苍茫

（选自《诗潮》2016 年第 4 期）

草木回到人间
——热带植物园有感

一场雨后，草木回到人间
青草气息里有植物的拔节声
复苏和死亡层层交替
一生开一次花的塔希娜棕榈
我突然害怕它开出花朵

雨珠滚落在鱼尾葵叶上
鲜红的果实是诱惑的陷阱
印度马钱子不动声色
见血封喉透着冷冷的寒光
而唯一的解药红背竹芋草触手可及

海杧果失踪曾引发一场恐慌
洋金凤和紫檀自顾夫妻树的传奇
吐鲁香早已习惯暗自幽香
唯有断肠草黄色的花如此耀目
都知道神秘果随时可以混淆味觉
但谁能决然饮尽这世间之毒

仿佛生死界穿越，这个午后
有人用柚木叶染亮了双唇

（选自《诗刊》2018 年 7 月下半月刊）

作者简介

许燕影，1965 年生，福建晋江人，现居海南海口。中国作家协会会员，海南省作家协会理事。诗作曾获奖并入选多种选本，已出版诗集《轻握的温柔》《我怎能说出我的热烈》等，曾获《现代青年》十佳诗人称号。

阮克强作品

雪花和爱情

雪花落在地上
它们晶莹透亮
有针柱状的　六角状的
还有一些可能是
爱情的模样

因为无人清楚爱情的真实模样
我斗胆认为它也是一种晶体
在我们各自孤独的灵魂里
热胀冷缩
循环不绝

（选自《诗刊》2016 年 8 月号下半月刊）

春 光 里

艾尔默不会撒谎
中央公园里的一个小孩说的
那时我跑步经过
荑树上的知更鸟
正模仿猫的叫声
春光里事物渐次柔软

柳枝泛出鹅黄

仿佛春风掀开了

它们内心的毡房

一朵塑料花倒栽水里

试图将一生的虚名

全数洗清

（选自诗选集《三重奏——在美华文诗人跨世纪作品精选》，四川民族出版社 2018 年版。）

树林里的早春

树木开始发芽

往南边流动的溪水

在拐弯的地方

有跳跃起来的冲动

一些飞溅的水花

就这样弄湿她的裙

她看见绿头鸭

在溪中汲食

成排的水草

全都温柔地低头

多么安静啊，她想

如果薄雾给她蒙上面纱

如果站立的树全都

躬身逢迎

不知道她要变成轻盈的蝴蝶
还是整天雀跃的
森林新娘

（选自美国《侨报》2019 年 4 月 13 日）

作者简介

　　阮克强，1967 年生，福建连江人，现居纽约长岛。已出版诗集《冬天的情绪》和《夜晚的植物》。诗歌作品多次获奖，摄影作品获北美《汉新》月刊摄影比赛总冠军。

阮宪铣作品

与 友 书

若来看我，最好夏天
我会在岭上亭子里等你，我顺便
一边吹风，或者一边想你

你若心血来潮，突访不遇也没关系
那时我房前半亩荷花盛开，你可随便
一边等我，一边赏花

城市在百里之外，你提不动手巾岭遥迢的客套
来吧，我有三坛去年冬至家酿的青红
满山的清风明月，不用钱买

不一定要海阔天空，我们闲聊
或者各自沉默，听风
等到荷花谢了话都说完了，你便回吧

岭上无别物，我一定送你一岭的白云
若无醉酒，我会像古人一样五里抱拳相送
请你记住白云边上无尽的蓝

（选自《诗刊》2019 年 5 月号下半月刊）

在 乡 村

在乡村，自然而然慢下来
石墙开始生锈，长出青苔的耳朵
东篱的菊花、西园翠绿的蔬菜
从不分汉唐晋魏

我喜欢在这发呆，无所事事
像一棵听风的树
看着那朵白云用整整一天的时间
从天空的这边飘到另一边

多好啊，这里不比奔跑
像老僧打坐
起身时，身上落满了时光的
草香和虫鸣

（选自《福建文学》2019 年第 6 期）

作者简介

阮宪铣，1969 年生，古田县人，福建省作家协会会员、中国诗歌学会会员，诗作散见
《诗刊》《星星》《诗选刊》《诗潮》《草堂》《江南诗》《中国诗歌》等，并入选多种诗歌选
本，出版诗集《站在时间的枝头》。

阳子作品

春天刮起了风

欢乐在它的阴影之中
像一只鸟在阴影之中
诞生的花草
我读书的春天
在一本无字的史册上
刮起了风

还有轻易被刮起的
玻璃破碎的声响

风的方向一直向前
我对着内心呼吸
空气变作雾

内心里传出
最后一阵风的吼声
暗中闪亮的时刻
重复或颠覆过来的一天
翻卷着玻璃流泪的躯体

事实上春天能够释放出
刮起所有羽毛的风

河流在风中开始纯净

花朵在风中练习飞翔

孩子们在风中收集露水

我在风中

度过内心的节日

（选自《诗刊》2013 年 3 月号上半月刊）

植 物 园

我步入中间

门锁住的阴影漫过天空

属于上个世纪的形容

套子里遗忘自己的蜥蜴

迅速为植物的死亡带来幻觉

它们静止的脸上

从来都一无所有

我离它们很近

我进来就是一棵枯萎的草

从叶子到眼睛

受恫吓的身体风化在风中

还有一片潮湿的药名嘶嘶作响

我触及一棵树回忆的一天

一句话
和一次有病的呼吸
芳香和虚凉反复垂挂下来
仿佛绳索，试图捆绑一阵风
在时光的尖梢反复穿梭的模样

（选自《诗刊》2013 年 3 月号上半月刊）

花　园

一阵风刮了过来
黑暗下面的花园
我听见吹动
像夜晚的呼吸挂在枝梢

内心的沉默更加接近坠落
夜晚显得神秘
我看到的面孔已经陈旧

从长廊到书房
花朵留下大量遗迹
另外有一个黑衣女子
挥动手臂
穿过风怯弱的时刻
她收集虚凉
以及无限生长的语言

在幻觉之时

我的泪水像上升的宁静

月亮上飘满高高的游魂

它们用燃烧的典籍替代闪电

暗夜过后，它们把双目失明

的花瓣带回到天上

（选自《诗刊》2013 年 3 月号上半月刊）

作者简介

　　阳子，1974 年生于福建省漳州市，新死亡诗派主要成员。中国作家协会会员，出版诗集《阳子诗选》《语言教育》《独幕剧》等。

阳光作品

陆庄理发记

徒步留下孤独的气味，不断消耗着
觉察不到的消失有镜子的渺小
这样的跂力仅余一把电剪与木梳
二十多年了从来没有过停下来的意思
九块九蓦然被一张红纸框住
像古旧的陆庄巷与陆庄桥相互搀扶着
攀谈的老人遗留下桥亭的模样
那桥中的阴马石已然褪色；空气中
有漂染剂的味道。让一朵花在
枯萎前绽开自己，曾经出走的河水
古榕须夹杂着黑白，静观的美从想象中
劝慰出不同的清澈，那些善解人意
的鱼，日落后，趸回我安静的桥
你在一堆中年惯用的词汇中找寻一枚
故作镇定的突破词
一束光卷起无数帧怀旧的影像
我仍低着尘世的头

　　　（选自《诗歌榕城——福州诗群联展》，海峡文艺
出版社 2018 年版）

映象·闽江

闽江的水应是天上来的

船家摇过挽住江面的宽，水如米酿的

青红。让人有纵身一跃

与之交融的冲动。落日下的江

衬着底桥下撒出的渔网

千家沽酒的巷陌青榕老去

那百货随潮船入市

伬唱与评话的大暑，翻阅清晓的

客愁，一船茉莉呀，带着

夏蝉的独语悠悠荡过。榕荫下

撑伞的姿娘用乡音汇流

三溪，吟唱出一波又三折

让世人倾慕的折枝诗来

闽江的水啊，映着名塔巍峨

江岸，峦峰清秀，看渔礁渚月

清风荡处绿榕白鹭都有携壶结友的人

畅读晚霞占归来。峻美的山河原属

越王台，台下江流去不回

舟船穿梭水接云，那一江的

碧呀像是客雨刚洗过的

垂须的别离

（选自《诗意台江》，中国华侨出版社 2018 年版）

作者简介

　　阳光，本名汪有榕，生于 20 世纪 70 年代，福建福州人。曾参加鲁迅文学院福州研修班学习。作品散见《人民日报·海外版》、《诗选刊》、台湾《创世纪》等报刊。现为福建省作家协会会员。

苏忠作品

吹　剑

镇定　风吹矮了远山
吹剑
在雪中

雪是剑的前生
剑是死去的雪
你拔剑

没有兵法的棋盘
对手谁是
雾在走

生前和身后
是一个血肉和一堆血肉的游戏
剑劈空

雪片片
凌迟这天穹万象
水成冰

就狂歌就策马就美人就醇酒就斩风
吐气如鼓

雪或剑

（选自《诗刊》2010 年 9 月号上半月刊）

塔 苍 苍

是一把狼毫
谁握住把柄
写苍天　空空如也

是一种望远
万物掌纹生
以为镇住了山高水长

是一杖瘦骨
走了很久的路
也未曾弯腰　在光阴里

是一回此生
原来孤独
是没有来龙去脉

（选自《光明日报》2013 年 12 月 13 日）

梦 游 者

领众壑走进黑暗

知道你不会来

于是让野花

开满一个个山坳

漫坡虫鸣

我举杯半空　四周虚静

有你的影子

在杯中

明亮的夜啊

山峦不声不响跟着

你来还是不来

野花谢了又开

我举杯　饮尽半空

却发觉山中的露水

全是你的影子

是一条银河

（选自《花城》2015 年第 6 期）

作者简介

苏忠，1969 年生，福建连江人，已出版诗集《后城市的一种禅》《一个人的击打》《披风》《醉花僧》及其他作品 10 部，中国作家协会会员、北京市海淀区作家协会副主席、中国传媒大学南广学院客座教授。

苏盛蔚作品

我不知道自己在说什么

我不知道自己在说什么
糊糊涂涂丢失了一些东西
钥匙大概也丢了
这辈子把自己锁在一座空城
饿死那些蟑螂
女人见了就跳脚的蟑螂
把一摞誓言送往北方
让她明白男人诺言的轻浮
如此她会说：海边的鱼永远没有翅膀
而在男人肩膀上依靠好比在挥霍的天空
肆意飞
所以，所以。语言美丽
如梦似幻，女人便后退，退出一个方湖
那才是诗人的澡池
她窥视却不萌动春心

（选自《福建文学》2019 年第 9 期）

孤　岛

我的孤岛有鱼
没有美人

我的性别是迷雾，有时哭

也很委屈

人们说的事业是墙，只有壁虎的尾巴

是现实的触角

没有口袋被赏赐分币

口中的糖嚼着别人的甜

酸着年少的楚

明明是绝境，天空是密封的玻璃

我飞出了孤岛

停在刀尖上，一抹番茄酱

异味的酸

割裂的疼是水泥裂开了缝

墙依旧是墙

我靠着　孤岛是孤岛

（选自《福建文学 2015 年专号：闽派诗歌新崛起——
福建"80·90 后"诗人大展》）

作者简介

苏盛蔚，1989 年生，福建霞浦人。有作品发表于《福建日报》《福建文学》等报刊。常年致力于少儿文学启蒙，创办公益书屋，相关事迹受到媒体关注。

杜星作品

独 奕

一个人坐在天元上
点燃一根烟

风从中心吹出
风没有方向

我一分为二
相克相生的我

经历一次沧桑的过程
胜负原是一物的两只眼

拈子的手指消失
包括那无柄的斧子

我消失
棋子如星辰自动运行

现在任何一点都是中心
现在奕真正开始

（选自《福建文学》1994 年第 6 期）

地 球 村
——写在世界地球日

说出这个命名会太晚吗

鸟声埋在风沙中　鱼活在民歌里

到海里捞面包的日子还有多远

说出这个命名会太晚吗

在心脏播种子弹　收获名字的空壳

和平的果核是一个毁灭的按钮

说出这个命名　你我原来是近邻

就想起一句温馨的俗语

想起荒凉的月球及其他星球

就看见那团曳尾的不祥星云

和滚到上帝脚边的那只苹果

（选自《诗刊》1998 年第 1 期）

作者简介

　　杜星，1955 年生，福建霞浦人。著有《杜星诗歌自选集》。作品散见《诗刊》《诗歌报月刊》《星星》《福建文学》等刊物。曾获《诗刊》第二届全国乡土诗二等奖、福建省优秀文学作品奖等十余项。

巫小茶作品

桃 花 夭

一朵花向黑里独自坠去
隐姓埋名

像太阳落在水中很久很久
一池蛙叫热如犬吠

往死里坠
往梦里去

唯有梦允许自己盛开如夜
桃花允许
桃吃掉它自己。剩下

一朵花在夜里孤独地开放
隐姓埋名

传说，它的盛开无迹可寻
天下无双

（选自《青春文学》2017 年第 8 期）

在你的怀里静坐如初

你的身上有座庙宇
我一直在寻找通往其上的路
崎岖的夜
有着原始森林的纹理
噢，森林，张开它的肺，在月光中
流淌着世代的符文

一个人在另一个人的身上行走
沿着血液里流淌的传说
那是一种声音包裹着另一种声音
而不是取代

没有捷径。我打着赤脚
让玫瑰扎出的血，躺在你杏色的
声音里
时间在子时出走
月亮随它而去。爱到绝处
处处庙宇。亲爱。一个人在另一个人身上的
行走，是我在你的怀里
静坐如初

（选自《第二届华语女子诗歌大展作品选集》，成都时代出版社 2019 年版）

作者简介

巫小茶，1981 年生，福建莆田人，已出版诗集《我一直坐在我的身旁》。

李龙年作品

一匹马，目光里迷茫远远多于孤独

我再次遇到这匹马

它目光里　温顺正吞噬着星空

一个孩子　把整个童年

托付在马背上

我远远看见

藏在月色底层的蹄音

那些蹄音在尘世之外开花

马匹似乎已跋涉千年

时光尺度上　它已行走大段

其间多少浓缩在地方志书里

残存的卷帙

可供研究者历史考据

它经历 10 个古国

星辰一半在海底

一半在空中缄默

喋喋不休的是云彩

绚丽的夸耀　已使历史不再严谨

温顺是时间仅遗的留存

灰色的湖　鱼多于水

戏剧多于人生

人生多于细节

（选自《北京文学》2017 年第 9 期）

高墙之角的无名草

这些草平静而且相对安全

她几乎不被审美

且容易被镰刀忽视

它有幸洞悉萤火虫

微光的秘诀

以及少爷与丫鬟　苟且的蜜语

甚至于夜半　剑客探访的

惊人秘密

知晓了这些多真相

但它终究籍籍无名

它不想也无意说破这个世界

月光下的卑微　她唯有一桩心事：

春天　时代的除草剂让自己长眠——

恐惧　鲜血　阴谋　死亡

这些过于宏大的词汇

早已将她弱小的心灵挤压得

连一粒草籽的期冀也无法容纳

（选自《北京文学》2017 年第 9 期）

作者简介

李龙年，1956 年生，祖籍湖南，生于福建。已出版诗集《记忆的瓷瓶》《大山意识》《哗变的梨花》等三部。

李伯庠作品

有关水车房的回忆

红心薯泼墨的藤蔓旁
白条鱼巡游的水圳上

姥姥一颠一颠地端着簸箕
出来尖嗓唤我的地方

水车轰哒轰哒作响的地方
水车房就出现了

她在阔叶乔阔叶的大手
摁住的地方
有点像谁家的幺儿子那样
被人爱护

在这山中，谁家都这样的，朋友。

（选自《厦门文学》2008 年第 7 期）

在春的屋檐下小睡

在春的屋檐下小睡
百花开放的样子都可以入梦

在春的屋檐下小睡
连小小的花蛇用温热的信子
舔我沾染春泥的脚面
我也不醒

在春的屋檐下小睡
远在天空里细脚的姥姥
用尖嫩的嗓子唤我的乳名
我也不醒

反正在春的屋檐下
我必要小睡片刻
鸟们用金子的唱腔
我也不换

（选自《福建文学》2016 年第 12 期）

作者简介

李伯庠，1970 年生，上杭人，已出版诗集《江南，隔的一枝》《泮境，方圆五公里》等。

李迎春作品

一场春雨一场梦

妻儿在雨声中安然入眠　今晚

某个山冈　稻田正静静地吮吸

我被一夜的雨声敲醒　长长的细雨

将我把两边紧紧拴起

当我站在窗边　让雨重重地从屋檐流下

早已失去疼痛的感觉

偶尔听出少时的身影　却根本无心

辨认来自故乡的消息

那些飘飘荡荡成为水成为雾成为雨的物质

为什么会陷入一场风暴而了无音讯

关于思想关于主义

早已成为头脑的中流砥柱

是一场春雨的梦

将稻田中的脚印取回

放在心中

放在温暖的两头

（选自《福建文学》2009 年第 5 期）

我和父亲

直到你六十岁那年
我才承认自己的鲁莽与不敬
几十年来　我站在你对面就像
隔着春天里洪水滔滔的儒溪
只有大声嚷嚷或者
将圆桌吵得四脚朝天
母亲看着怒目而视的父子俩
长叹一声：谁叫你们是两只老虎呢

直到有一天
发现声音和你越来越像
甚至村里的老人都无法分辨
我才意识问题的严重：
难道我真不是你无意生下的
你用沉默对抗我的愤怒
让我不得不相信
在我来临的时候你早已胸有成竹

我决定造一栋房子放在家乡
在你可以为之自豪的地方
用行动表达内心的愧疚
让你相信老虎也可以讲和
甚至可以握手拥抱
用锋利的爪子褪去所有的威风

在我流浪四方的时候
你在我修建的屋子里休息听歌
想一想我在世人面前
如何风光

（选自《厦门文学》2016 年第 4 期）

作者简介

李迎春，中国作协会员，省作协第七届全委会委员，省作协青委会副主任，现供职于龙岩市委党校。已出版长诗《生命的高度》《落雪的和声》，诗作入选多种选本，多次获福建省百花文艺奖等奖项。

李彬源作品

敦煌日记 （节选）

A. 7 月 23 日 16：00。
晴。车到敦煌市。
想一些历史的风尘。

用来塑造生命的东西很多
敦煌市里
街面古朴，行人如沙
在尘世中沉浮

用雕塑和壁画造神和人
记载僧侣和历史
把来往的行旅和刀光剑影烙进绿洲
一些民族消逝了
更远处只有风沙

谁明白莫高窟斑驳的日子呢
——它为苍生挽留了时光

开悟的和未曾开悟的人们
到一个叫敦煌的绿洲来吧
让古代的风沙擦亮你的眼睛

多年以来，它隐匿于尘世一隅
向世人端出荒芜和岁月

J. 11：51—14：20。
骑驼跋涉鸣沙山。

进入沙漠也就进入一种庄重
阳光之下
我的心孤独了千百个分秒
宇宙离我很近，也离我很远
就像熔化的沙石包围我
我恍惚地探索着
混杂而漫长

我为孤独打开苍穹
在光阴流逝的间隔里
我是阳光照耀下
唯一的黑暗

看见浩淼，才明白自己的微不足道
一线线沙尖，蜿蜒如缕
一丝一缕都让我明白自身

而最强烈的依旧是阳光
每一次对大地顶礼膜拜
都能在虔诚中找到我

K. 7 月 26 日。归途。

想起一些无法说清楚的情绪。

我沉湎于无边的回忆

就像桌面上光洁的圆瓶

里面有浩瀚的海

一些散逸的思绪已经足够

想到生命

我已能体味其中的喜悦和感伤

谁能说明我凝神注目时的金光万道

谁能解释无边金光所弥漫的天空的晴朗

念念不忘远古的景象

浩瀚的海

其实我已经是乱烟混沌的远古

更多的留恋将我窒息

谁能证明辉煌的征状是辉煌的虚假

（选自《诗歌报》月刊 1998 年第 3 期）

作者简介

　　李彬源，1974 年生，福建安溪人，文学博士，现任职于福建师范大学，曾在《诗歌报》等报刊发表诗歌作品。

杨金中作品

出　走

假如我在阳光的早晨出发

天空挂满薄雾的白

又假如我是一尾鱼，正在赶赴

入海潮汐。深灰的背脊

构筑一道现实之景

波涛翻滚，人流拥挤

人和鱼，尘世中的两个我

分别以脚和尾鳍

丈量，生活的尺度

翻越千山，行涉万水

在茫茫前路，重与轻之间

揣度世事之艰

应该允许我，收起执念

身披鳞甲，藏柔软的腹

以心的白漆

涂抹世事之黑

（选自《新世纪诗选》，重庆理工大学 2014 年版）

春　光　志

河与河的交汇、分流，预示了

一个家族的走向。我的先人自中原而来
凭借回眸间
匆忙的一个照面，缔结了秦晋之好

群山因了他的不争
显露出隐逸之象。随意摘走的一缕晨光
被镌入，家族堂号

露水一再眷顾大地，他的瘦
并非来历不明

当叙述被一再转述，一颗种子
在流水中淘沥，孕育出诸多可能——
我的家乡，开成了春光里摇曳的并蒂莲

一支唤作三洋，一支唤作朝阳

（选自《厦门文学》2015 年第 11 期）

作者简介

　　杨金中，男，福建安溪人，福建省作家协会会员。诗作散见《福建文学》《厦门文学》等，作品入选《新世纪诗选》《安徽文学 2016 诗歌年选》《福建诗歌精选》等选本。曾获2016 "中国好诗榜" 提名、2016 年《泉州文学》优秀作品奖等。

杨健民作品

元 宵 雨

元宵是一棵挂满雨水的树
我坐在风中，看着雨把雨送远
这座城市正在让微信裹住
一个被阳光遗失的词，飞到我身边

我怎么会突然想起它：烟
又是夜晚的虚构，目光漂流在外面
袅袅婷婷，那是我的精神缭绕么
冷雨敲窗，一滴一滴写满季节的逗点

有火焰从手机里弹出，没有烟
一粒月光下坠了，刺痛夜的眼
夜很冷，很机智地沉入词语
接近宁静，能听见烟把风切乱

那一轮秦时明月在哪里躲雨
元宵雨从烟里一缕一缕滑落，像火焰
花灯四处眨眼，城市不断在充血
这季节，还有什么不是你的，不止春天……

（选自《泉州文学》2014 年第 4 期）

树

楼下站着一排树
我在楼上俯视它们
其实，我并不习惯于俯视

站在楼下，我只能仰望
想想它们的高度
我突然找不到自己的影子

树是大地长出的阴谋
只有风的小令会摇动它
风一裹挟，我的灵魂空了

一辆车泊在树下，压着
树的根部。我听见年轮
青筋暴突，硌痛半个世界

天低下来，覆盖树的心事
树梢被悄悄封存在土里
我叫不出它的一个角度

时光永远被尘世雕刻着
只有树，在我眼里默默爬行
无论俯视，还是仰望

不要叫出树的名字
就像不再戳穿影子的梦
阳光虽然热烈，却一直飘移

只有树依然坚定，依然执着
即便一枚叶片飘落，也要以
飞翔的姿势，归隐在地上

此刻，我站在楼上看树
树已经在楼下站了多少年
这种俯视，只能是我的望断

（选自《天津诗人》2015 年第 3 期）

站在一片叶子上

阳光收窄一帘眼神，梦把睡莲轻轻咬断
驮着细雨的琴弦，拨动十万条呢喃
夜，我回来了，回到一座无声的沙漏
更加纯粹的，除了那一滴露珠还是露珠

站在一片叶子上，绝不止于千年等候
这个春天我们波澜不惊，人淡如菊
无论海风如何叩响岸边不沉的喘息
露珠的翻滚和打转，都是草尖的圆舞

叫醒十座春风，为昨夜的高脚杯打赏

一个远来的过客，活在下午的精神分析里
你在抑或不在，来还是不来，都将迟暮
我会告诉那位姐姐，我在另一个德令哈

德令哈是海子的归宿，那里有露水的欢喜
南方的石头飘在天上，等待背影和回声
春天还有多少尾巴？那一片叶子悄然落下
我随之降落，为一粒不期而遇的霜祈祷

（选自《福建文学》2018 年第 9 期）

作者简介

　　杨健民，1955 年生，福建仙游人，毕业于厦门大学中文系。已出版《拐弯的光》《傍晚的和声》等诗集。现为福建省美学学会会长。

杨雪帆作品

北回归线

他们居住在晴蓝的中国海岸
和从前一样，他们的船停在码头
他们搬货，运煤和木头
从一座港口到另一座港口

他们烧出红色或黑色的陶罐
和从前一样，他们打铁
修路，在简易的作坊酿酒
没有痛苦和漫游

他们安详而粗糙，几乎
以海为生，他们不像他们
推动的岩石那样，多棱而灿烂
和从前一样，他们

不像暴雨突降，使牛羊惊惶
他们在山中砍柴
在待耕的田野，感受茫茫黄昏

他们不像草率的春天，单调的雨季
和不爱生育的荒凉土地
不像围着孤岩的波浪长吁短叹

他们不像浮云有无数形状

不像青草、鲜花和落叶

那么不善于等待

不像长风突如其来

不像航船的寂寞不容易停泊

不像战争中的士兵迅速消散

不像秋天的候鸟，不像

这最高的十四行，指南针，这原始的

移民，和还乡的歌队长

即使这些高飞的灵魂冲他们

呼喊，让他们不要

在长空下静坐，守着永不挪动的

石磨，井台和刷白的庭院

然而这喊声就像风云那样易变

只能使牛羊惊惶

就像岩石和陶罐

对于他们没有丝毫影响

（选自《诗刊》1997 年第 2 期）

遥望太平洋

遥望太平洋，我能看到什么

白昼是一条古船，夜晚

是另一条古船，正午的光芒

像十万两银子闪烁。我能看到什么

无论海水如何碧绿地改变，无论

风暴如何猩红地燃烧，打着

神祇的怒旗，太平洋

依然是太平洋，一个

美丽而裂开的木篮，一个

完整而绝望的木篮

（选自《诗歌月刊》2010 年第 2 期）

民谣：恒星上的吟唱者
——献给我的祖母爱亚

你不再回来。日子终结

银镯在布中安睡

窗边的树停止絮语

风走了。悲伤是最薄的纸。

我们撒下盐和米。从石头

住宅到无言的旷野

大地继续接受每一粒

被否认的种子。麦田倾斜。

道路不会修改。岁月的脚踵

脱下悔恨其走向的鞋。
什么东西能测量你留下的空白
线，标尺，航空船？

我想，空白既不短又不长
如一片起伏的土壤
用沉默填满。沉默
自上垂落，多么柔软。

我抚摸木制的栏杆
铁制的锚，陶制的容器
光线贴着墙站立
我是否应该为此啜泣？

不。啜泣毫无意义
它不是民谣中的一句，不会
使谣曲重新回到我们嘴上
也不会比沉默更响亮。

你不再回来。你放弃
拒绝。远离我们的辩白
远离镜子，度冷丁，胆囊的剧痛
暮年的舵轮终将失控。

我独自倾听着寂静的里弄。
被损坏的喉咙，被打败的唱法
岁月又聋又哑。在民谣的外面

我俯拾着你的声音的碎片。

生活经不起轻轻一碰。
镜子架。蜡烛。用钉子和麻绳
固定的竹凳——事物在改变
你的声音不再被天地听见。

（选自《诗歌月刊》2010 年第 2 期）

作者简介

杨雪帆，1967 年生，莆田人，已出版小说集《贞元年间的隐秘镜子》。

连占斗作品

观 鸽 记

整个公园都是鸽子的
有时，整个天空也是它们的
它们经常把公园施舍给我们
把天空让给我们畅怀一下

鸽子们经常站列在亭子之上
它们居高临下，我们居下望高
这一段距离是上天设定的
谁都无法推翻

鸽子飞到地上并不一定代表来啄食
有时是来与我们对峙的
测量一下对峙的距离有多长
我们飞到空中也并不一定代表来禅悟
有时是来与鸽子交心的
我们说，天空是大家的母语
可以用来交谈天下任何事

（选自诗集《天空之物》，团结出版社 2018 年版）

大 与 小

我用大词写细小之物

比如用天空来盖住微弱的光线
用光芒照耀地上的小草
用大地来掩藏植物的根须
用岁月来梳理稀薄的白发

更多的大词把光线拉长
比如隧道，比如洞穴
更多的大词把小草挤压
比如风雨，比如野火
更多的大词让根须神秘化
比如掘地三尺，比如触类旁通
更多的大词要白发苍苍
比如灰烬，比如一生

这些细小之物经得起大词的敲击
比如光线会牢牢缠住高大的柱子
比如小草果真衬托了参天大树
比如根须试探了大地的诚心
比如白发渲染了江山之雄厚
比如我卑微的目光把太阳擦亮了许多

（选自诗集《天空之物》，团结出版社 2018 年版）

作者简介

连占斗，1964 年生，笔名占斗、南秋，大田县人，福建省作协会员、大田县作协主席，著有诗集《太阳的语言》《田野的钥匙》《光与影的阶梯》《天地之吻》《大地的心跳》《天象》《天空之物》等。作品见于《诗刊》《星星诗刊》等，曾获鼓浪屿诗歌节国际诗歌奖等。

吴友财作品

在梅尔顿·莫布雷的孤独

在这座英格兰腹地的美丽小镇

异乡人为什么会孤独呢

火车一到下雪天就晚点

天空还保留着创世纪时候的蔚蓝

街道上不仅有酒鬼和酒瓶

还有刺猬和狐狸

他们一起

构成了小镇夜晚的全部内容

教堂是所有居民的原乡

他们在这里祈祷内心的平静

和遇见一个人以后的幸福

直到他们中的其中一个

从这里离开后再也无法回来了

祈祷也不会停止

夏季是最美好的时光

青草地在生长

几百年的石头房子也在生长

松鼠也在生长只是你看不见

南来北往的车辆和游客也在生长

你也看不见

你看见了什么呢？你这个异乡人

难道是孤独吗

在这座宁静而美好的上帝的果园里
休憩的人为什么会孤独呢

（选自《诗刊》2017 年 10 月号下半月刊）

美好的时刻

多么美好的一天
我吃完早饭，躺在沙发上
从沙发背后的窗户里投射过来的
亮光，覆盖了我
让我觉得平静而温暖
多么美好的一个早晨
我看着天花板上吊灯被拉长的影子而
无所思，瞥见鱼缸里的金鱼游来游去而
懒得去喂它们，我在等待
熟睡中的妻子、女儿醒来
这是我选择窝在沙发里的
最根本理由
沙发厚厚的靠背阻挡住窗外的喧闹
也接收房间里传来的一切微弱声响
这是一个多么美好的时刻呀
她们随时都可能呼喊我
而我已经准备好了
在这忙碌而嘈杂的
人间

（选自《诗刊》2017 年 10 月号下半月刊）

完美生活

我想做一个修剪花木的人
我喜欢听剪刀咔嚓咔嚓的声音
像秒针一样，单调，从容不迫
给予我无限的放松与满足
我喜欢在日头下挥汗如雨
从枝条断口处溢出的汁液蹭上我的衣袖
让我的手黏糊，失去光泽
像提早出现的老年斑，我也视而不见
我把剪下来的枝条归拢一处
等待太阳把它们晒干，变成烧饭的柴禾
再变成新鲜的肥料，被时间重新运送到枝头
万物生生不息，周而复始
妙不可言
等我把这些活做完
我就找一张干净的椅子舒服地坐下
喝甘甜的茶水
给你打电话
如果你没接
我就去找你
在枝条疯长的山林间迷失方向

（选自《诗刊》2017 年 10 月号下半月刊）

作者简介

吴友财，1982 年生，福清人，已出版诗集的《野花野花》《围绕》。

吴常青作品

山中一日

在云水谣，适合当一个临时邮差
打开土楼空空，写信的人都在他乡
邮箱已生锈，收信人越来越老
卖邮票的阿嬷把红灯笼挂在檐下

欠资邮件必须退回，一整夜的雨在数羊
天亮了羊群满山，蓝信封一叠
在榕树下，小桥流水写信
撕掉又重新写，一叠又一叠

一整日就这样过去了
山中一日，从前的电影散场了
只有我知道，风也是捎信人
在云水谣，我们故意迷途，不知返

（选自《厦门文学》2018 年第 6 期）

父亲的口琴

一把口琴
重音，二十四孔
父亲早已忘记

他结婚前的随身小乐器
侥幸被我存留至今

当我双手捧着，来回移动
时光触及嘴唇
吹出悠扬颤音

这是父亲节之前的一个周末，我回家
在客厅表演的第一次独奏
听众有两个：
沉默寡言的父亲、耳背严重的母亲

当我带着口琴返回城市
父亲在老家
逢人就说起，我继承他的口琴爱好
说起他二十四孔的青春与爱情

（选自《福建文学》2018 年第 11 期）

作者简介

吴常青，1972 年生，漳州人，福建省作家协会会员、中国诗歌学会会员。诗作散见于《诗刊》《福建文学》等，出版诗集《蓝调口琴》。曾获第四届诗探索·中国诗歌发现奖等。诗作入选多种选本，创办民刊《水仙花诗刊》。

吴银兰作品

大房子，小房子

宝贝，爱你就借出我的子宫
让你入住十月
妈妈是你的小房子
即使是黑暗的
用我的血液就能令你成长

爱你就借出我的产道
让你撕扯，给你挣脱
爱你就借出我的疼
为你敞开光明大道

人世间是个大房子
这里有妈妈无法给予的
宝贝，这里有爸爸

爱你就给你乳汁
给你臂弯当枕头
给你体温当棉被

宝贝，爱你就给你我的青春
使你慢慢长大，妈妈却逐渐老去

（选自《福建文学》2012 年第 2 期）

摇 篮 曲

1

一切都静下来了
整个夜晚显得唐突的黑
因为太黑
才觉出无法言语的干净
你睡得过于香甜
让人感觉岁月不紧不慢

2

乖乖，我的小男人
一天又要过去
你又长了一些些，一些些
虽然妈妈看不到

夜幕降临，宝贝
江湖险恶
许多草案未判定结果
只是你不必懂

你只需知道
这日子和往常一般无异

夜起虫鸣

风是灯和黑暗的悄悄话

3

相对而言，

我更愿意在夜里写诗

当一切都暗了下来

内心却逐渐明亮

你所认为的黑

此时异常柔软

亲，你触摸我的手

就像药丸等待水

突然遇见

（选自《诗刊》2014 年 11 月号下半月刊）

作者简介

　　吴银兰，1984 年生。祖籍惠安，现居厦门。诗作刊于《诗选刊》《诗歌月刊》《星星》《福建文学》等。曾获泉州市优秀文学作品奖、泉州刺桐文学奖、极光诗歌奖新锐奖。出版诗集《真实的存在》《不存在的爱人》。

吴谨程作品

约会一杯咖啡

约会一杯咖啡，始于多年前的旧梦
中年的疼痛在梦里弥散开来
像黄昏的夕阳，一点点涂抹在心的叶片
生活的灰渐渐浓重，叠成夕阳下的山峰
一阵风随便就能吹走疲惫的船帆
剩一些诗歌的碎片，在十月的风中摇晃

现在，面对一朵咖啡的浓香
我看到别人藏匿的初恋
浪漫的红烛，它散漫的光照得见我的慌乱
漂移的，摇晃的光芒
如果用心呼吸，便能嗅到夜的温暖
以及一颗心吐蕊的芳香

河流的上游，华灯悄无声息地流淌
叫我如何叙说与一杯咖啡遭遇的腼腆
液体的，动态的语词与之构成亲吻
像青春与青春的边缘，手指轻轻滑过
三十六年的细节，在一杯液体的咖啡中
若隐若现，背叛一轮旧时月亮

(选自《诗选刊》2009 年第 6 期)

水上漂起的周庄

忧伤的河水，青得像岁月的脸色

从一座高起的桥下穿行，过渡到

村庄，到岸上的一丛青草

石头。卑微的石头挺起胸膛

按既定的秩序排列，让水并肩而行

让无数的脚步在它的卑微之上昂首挺胸

石头和水，被一批人带走，而后物归原处

它们互相亲近，又互相赞美

无须想象：原始的水，流经周庄之前

曾在某个骚动的身体里舞蹈

水流动，像源源不断的看客，把周庄的水

一遍遍搅成青草的青涩，于是有了

流动的欲望。穿越一座拱桥

再穿越一条平桥，眼睛里，周庄的水

用它的光，使村庄浮出水面

（选自《诗歌月刊》2014 年第 6 期）

作者简介

　　吴谨程，1963 年生，晋江人。中国作家协会会员，泉州市作家协会副主席，晋江市作家协会主席，泉州海洋职业学院特聘教授。已出版《认证词》等诗集，作品入选多种选本，部分作品被译为英文，曾获福建省优秀文学作品奖等奖项。

我是圆的作品

翻开相册

你仍在当年
更换秀色

这张十八
那张二十
可这幅模糊的三十
黑白山川湖泊

那儿
也许鸟语花香
但我却
身陷泥沼

我不再是我
我是多瑙河多难的水流

（选自诗集《月圆月缺》，黑龙江人民出版社 1994 年版）

我把我踩成重伤

离别的时候我不是转身
而是在向东西道别

那东西不是你或许也不是东西
是东西以外的东西

危险的时间错乱了整个城市
再一次脱水的武汉
剥离了我们的生活

隔着一辆车
我又走了一千年

我把我踩成了重伤

（选自诗集《在你的江南》，吉林出版集团股份有
限公司 2017 年版）

作者简介

　　我是圆的，本名陈丰，1958 年生，福清人，已出版诗集《日子那边》《月圆月缺》《我
把风留在了风中》《抚摸自己》《我是你的颜色》《时间之外》《在你的江南》《落单的幸福》
《像鱼一样的鱼》等。

邱德昌作品

客家土楼，不仅仅是一个词

说土楼是一个词语
横划的是楼的堂号
竖划是门前的楹联
一撇一捺是土楼内众多楼梯
两点水井是太极的鱼眼
它让土楼里万物相生阴阳
要捉摸到词的温度
得走走楼内一圈一圈的小庭院小楼阁
黑色的瓦片由高到低长幼有序
一圈代表一个辈分
一间代表一个家庭
在这个圆圈内
鼾声、做爱声、打闹声、鸡鸣狗吠
共同唤来日出日落
这个词，还有湿度
看门前屋后，桃红竹绿柿甜稻熟
楼内高高低低的衣服被缛，吊篮灯笼五彩缤纷
屋檐下的滴水穿石，窗外雨打芭蕉
客家山歌情歌酒歌举碗全福寿
百家饭百家菜在猜拳声里芬香无比
且慢，要查查词的来历
还得寻楼外的溪水
它让你倾听客家先民遥远的汲水声
青山绵绵一棵棵绿树，像一支支长长的队伍

从晋唐开始，从中原，南迁，南迁
客家山歌从未枯黄
现在，所有好词都已垒上
总还觉得缺少什么
暮色中我们挥挥手
那袅袅升起的炊烟
从人群和土楼中升起

（选自《厦门文学》2015 年第 10 期）

远　方

我没抚摸的雪花最纯洁
我没喝的高粱最神伤
我没奔跑的草原最辽阔
我没飞过的天空最自由

我把最爱寄给思念
让思念追着远方

我一生没抵达的地方
其实就是一场暗恋
也像无边的夜色
痴痴笼罩我的梦想

（选自《西部》2016 年 11 期）

作者简介

邱德昌，1968 年生，上杭人，已出版诗集《过去的好时光》《渡口》《山水知音》等。
诗作刊发《诗刊》《星星》《福建文学》等，福建省作协全委会委员、新罗区作协主席。

何刚作品

阳光洒在北方的冻河上

秋天悄悄地出走
而这个冬天连一场雪
都被省略了
我在北方的冻河上走
午后的阳光轻轻击碎了
我内心积攒的思乡情

在这里，我成了从南方来的
外省人
惊奇地体验水的静止
一只苍鹰的掠过和翱翔
风在耳边呼啸而过
必然还有人在谈论
北方的冻河，与一场被遗忘的雪
谈论最接近幸福的内涵

我已准备就绪
披着一身阳光站在冻河之上
我对着旷野喊——
雪，你该来就来吧

（选自《诗选刊》2017 年第 8 期）

聆听二胡

民间低诉的二胡
始终让我无言以对
我只能成为默默的听众
热泪盈眶
让一种感动在空气中幽旋

曾经心痛，二泉映月
与民间凄凉的大雪一起
覆盖辛酸坎坷的时光
二胡，透彻心灵之音
如岁月犀利无比的刀锋
削过肌肤

我要静听二胡
不在炫丽风雅的舞台
我要停留在民间无名的街巷
聆听，来自底层的
真实深刻的生活

（选自《星星》诗刊 2010 年第 8 期）

作者简介

何刚，1973 年生，福建福清人，已出版诗集《爱情在谁的手心》《青苔漫过的夏季》《寻找桃花源》《海的背影》。

何如作品

牙 痛 记

过期的牙，在深夜
突然惊醒，从黑暗中
一层层剥开：去年的钉子
岩石，和冬天

尖锐的存在。水流撕扯
遥远的村庄。冻土下的声音
发芽、抽丝，回到过去

一列火车背着青春的骨头
一格一格，后退
人烟稀少，脚步沉重

（选自《福建文学》2018 年第 10 期）

下 午

下午是一秒钟的雪花
落在他的前面：这颠覆的空心
失去控制

我犹豫不定，提前
把天空藏起来
这是阴影的部分

不再涉水。已历经一页白纸

纸上化开黄昏
涉水的人看见无望的白

这是下午犹豫的颜色
白得像雪
这是雪中复活的下午

（选自《福建文学》2018 年第 10 期）

叙　述

从我带果核的叙述
发现了一滴水
它是有着蔚蓝的心
和纸质的睡眠

向左，它的皮肤晦涩
向右，它的触须充满
如果可能，我停下
用一个刚刚长大的省略号……

这样的叙述让我稀释
词语反复拍打
昨夜的那人……

（选自《福建文学》2018 年第 10 期）

作者简介

　　何如，1976 年生，福建漳州人，中国作家协会会员。新死亡诗派主要成员。诗作刊于《文艺报》《十月》《福建文学》《星星》《诗歌月刊》《作家》《青年文学》《上海文学》《作品》等。已出版诗集《生活》《忘川》。

何若渔作品

乌　有　湖

山峦跟着暮色下沉
在谷底接近湖中心
苍天的林木支撑起一种秩序

鸟飞进飞出
徘徊在阴影里。不是在一棵树上唱死，就是哑在
一个林子里

这样的光景
还将许多年。风来，波纹不大不小
小船前进两步，或者赌气般
原地打转
乌有湖的水却从未停下过脚步

（选自《诗选刊》2012 年第 8 期）

禁　忌

一些禁忌隔着迷人的面纱
像甘南那条危险的山路，隐藏在雪山顶上
一转一转
几个小时将我们兜出了柳暗花明

一些禁忌是湍急的雅鲁藏布江

必须隔岸止步

停止挑衅，向未知的云端扔石头

直到现在我们都没来得及勒紧

昔日那匹脱缰而去的野马

还有些禁忌说来话长

但已来不及再说

两山之间竖起了深深的悬崖

多少看不见的野草正在疯狂地长

（选自《福建文学》2016 年第 10 期）

一切都是别的什么

再见！再见！再见……

向我逼近的，不仅是夜色的沉重

寂静也不单单

只是寂静

踩过林间的光影

正将我缓慢改造成另一个

诸多放大的细节中

我清晰地看见

一个曾经出走的灵魂

野花野草般安顿

在自然广袤的身体里

当辽阔的忽然缩小

世界像一枚静静躺在手心的果核

（选自《台港文学选刊》2018 年第 2 期）

作者简介

何若渔，1973 年生，福建长乐人，已出版诗集《八月》。

何金兴作品

鼎

从司母戊鼎开始，你用青铜
和消亡的朝代，加厚自己的密度
那些神秘的礼仪、暗哑的祈祷
在青色的两耳和圆腹间
明暗若现

不论是三足圆鼎，还是四脚方鼎
稳过帝王的宝座
镌刻的图形和字符
是远古的阳光深入金属的回响
正一寸一寸被破译

鼎，端坐于中原祭坛的高处
苦难是熊熊燃烧的柴火
把黄河水煮成咆哮的汤
当童声抑扬顿挫地诵起三字经
你再也忍不住，老泪纵横

（选自《福建文学》2016 年第 2 期）

某夜读史偶遇宋徽宗

江山在你的画里完好无损

汴京的长街，像一袭红袖

舞在往昔的笙歌

更像凛凛胡风中抽出的鞭子，疼痛着

靖康臣子的心

你不是末代皇帝，不必太多自责

只是花鸟虫鱼在北行的路上

——渴死

独创的瘦金体

被当成古玩卖上几个铜板

五国城的岁末，雪又厚上几许

千里之外，还你红肥绿瘦

从清词小令里逃难的百姓

正陆续迁回故土

趁夜色薄凉

你是否愿意和我互换角色

做个布衣诗人，推开柴门

天下苍生和疾苦涌入胸中

（选自《星星》诗刊 2016 年第 7 期）

作者简介

何金兴，1976 年生，福清人，现居福州，已出版诗集《对着辽阔，喊出雪崩》《击缶之雅》等。

何鱼作品

简单生活

忽略一间房子的内部装饰
墙的颜色，和空旷的回声
这些静默，在牢靠的床头
像是我最忠实的朋友
深夜无眠之时
将和尘埃一起飞翔

忽略阳台的面积
日照的长度，但要看得见
斑驳的日影，那些破碎的
午后遐想。在阳光踱过的地方
放置花朵，和对面的槟榔树
默默对视，保持关于天空的
水蓝色渴望

忽略一本书的封面
它的博学，以及主人的名字
它在时光中划过的痕迹
只是要触手可及，像从深井里
汲水，我要饮的水
必有我的影子

忽略一些人，并对另一些人

保守秘密，在开始改变风向的时候
隐藏我的衣襟

（选自《献诗·我的祖国》，海峡文艺出版社 2009 年版）

唯有轻烟在水间

一左一右，河流在中间
总有人在对岸，在隔岸观火
在看枫桥夜泊，看月下芦苇
如何捕捉住微风
这是摆渡人的夜晚
有渔火，明灭不定
有温暖的线装书籍
有封面和封底，书脊在中间
中间是彼此守望的距离
男人和女人，像存在与虚无
追逐与放弃，守候与遗忘
摆渡人一苇航之
从南方到北方，此岸到彼岸
而伊宛在水中央
万人如海一身藏
醒来睡去，唯有轻烟在水间

（选自《福建文学》2018 年第 7 期）

作者简介

何鱼，1981 年生，福建福清人。偶尔造句自娱，有诗作刊于《福建文学》《海峡诗人》等。

作二作品

扫蠛营：最后的营地

浪花依旧扬起，像一群巡海的脚趾头

倒挂，悬空。甚至缩头缩尾

木麻黄依旧飘荡乌绿的乱发

孤独，正在一株一株长大成林

可更海的中央屹立石堤

远方和岸都被屏蔽

可田园，被大路划拉开的伤口已经结痂

酒醉一样摇晃的舢板

征程比石堤更短浅

刚出炉的铧犁

锐利得做不了水泥路面的手术

左肩舢板

右肩铧犁

扫蠛营命里注定再也站不起来

最好的码头

最终成就完美的孤岛

（选自《福建文学》2009 年第 3 期）

型 厝 海

一条独臂，长 14 公里，长着三个岛屿

把九亿朵细浪揽入陆地薄薄的怀中

不再打开，不再撒手，浪花枯萎得比薯花还快

大海败退到堤外，至今站立着

堤内万顷，也不是良田，是子鱼和沙虫的墓地

也不是墓地，是烟窗和污水的新居

海上田亩被汹涌而来的土地淹没了

门窗不再望海，坟墓不再向海，子孙不再讨海

型厝人把型厝海丢了，丢在眼前，却找不回来

坐在全新的礁石上，洗个咸水脚

抓把木麻黄擦擦脚底，海垱人就成了山顶人

（选自《教师月刊》2016 年 7 月号）

作者简介

作二，1962 年生，福建惠安人。生前为中国诗歌学会会员，诗刊子曰诗社社员，福建省作家协会会员，惠安县作家协会副主席，钱山诗社社长兼《净峰诗歌》主编。中学高级教师。在《诗刊》《星星》等刊发表过诗歌，诗作曾入选多个选本。出版《与海同行》《新厝刊》等诗集。曾获泉州刺桐文艺奖等。

余文瀚作品

驶向中环码头

我们高谈阔论以便擦肩而过
的风留在没有使命的海上，我们信赖
脸上写满了的异乡的暗语，远比
外衣绷紧的冷还多，未知还是未知

被迫比喻。一个人所匮乏
的词性已足以教我们停止对心头的块垒
渴望。船头，立在盛夏的父亲
牵起这座城市伸出的手

时间反复播放，我们吐露、交换幻觉
或者拖延被确信是高潮的章节
而流畅于晕浪的沉默中
向着对岸那天衣无缝的叙事告几天假

（选自《中国诗歌》2017年第2卷）

与堕轨者

那一刻只是坐着等待用以等待的时间
将它不甚讲究的袖口抹去
嘴边的我，像漏洞百出的故事，很油腻

因为停在中途而子弹仓皇
遁形，射不穿空气里的脂肪和你
看不穿的心魄，挡在极度渴意
与沧海之间，听，全城回暖

冬日，松开手反复擦拭过栏杆又来
拍打你的胸脯，闲情
如气根四处与人调笑，如何看待风
急于转让漫天消息，比如

你，一根卡在喉咙的鱼刺
不打算软化以融入城市
的消化道，于是，笔直地躺着一动
不动地，躺成一根断了电的指针

厌倦了回到起点。如今只有火车
掉转方向，莫名其妙的自信一鞭子
打在地上，看谁按捺不住举起
电话，因为疼，响个不停

（选自《香港文学》2019 年第 1 期）

作者简介

余文翰，1990 年生，福建漳州人，作品散见《香港文学》《福建文学》《草堂》《中西诗歌》等刊，曾获香港中文文学创作奖、城市文学创作奖等。

余禺作品

壁　虎

我跌入谁布下的四维空间

在粒子加速器里演化

我在运动　在碰撞中舞蹈

机场自足下迅速后撤

两边的建筑沿光滑的玻璃桌面滑落

我盘旋于万丈之崖

经纬绵密的瀑布大块大块擦过胸毛

鹰隼的绿眼长在颅顶　我上升

我看见万物成吨成吨垃圾般跌向深渊

不，我不是沐浴于一次视觉快感

不是水族重蹈四亿年前的加里东隆起

我只在相对的面上行走

从画框里往外透视静物的真实

地壳在视觉的推动下横向地退去

我只从浓厚的发丛窥探了白色的头皮和发屑

阳光怎样透过云层的鳞隙

水怎样从冰山释下渗过地脉

气流怎样在阻碍前跳跃或盘桓

所有凸起之形是乳房或枪管

抵向我的腰部　抵向神经的敏感区

我立在一个垂直面上与它们的端顶平行

又在另一个垂直面上与它们的端顶平行

我于是有了兀立的景观和参禅的效应

一个典籍的教诲传来——

嗬，和尚们

……那过去、未来，具体的空间

……

以及各种个体，只是名称……

——嗬，我在空明无形的向度上舞蹈

畅享十六官能的盛酌

所有的倒向都是正向

再不会成居守于地的盲蛇

头晕目眩于又一次灾变

（选自《关东文学》1986 年第 6 期）

鹿　蹄

是在走过山麓的时候

黄昏悄悄来临

太阳穿过树梢

像爬行的黑色蜘蛛

有谁在暗中戏弄

使落水的蒿草失约

迷途的人无计可施

行囊终将抛弃

心如止水

远山在晚空里下沉

白日的景象不复再现
黄昏悄悄来临
风的移动改变了树影
这一天遗失在归宿之中
悬石如鸟，欲争还休
蝉鸣隐喻了脚下的深沟
黑夜任什么都规避
此时是谁凭栏写诗
苍茫暮色间
抬起的鹿蹄去向不明

（选自《花城》1991 年第 5 期）

水　上

众多道路的岔口，脚步停止了歌吟
当我不知所往，心中漫溢水的幻象
身躯啊，怎能化开，分配给每个流向
我感到烟岚的手推不动期待的山门

摆脱执迷的地界，林间乍现疏朗
风折叠了我的一生，心情被水浸润
——梦的寻访者在湖边逡巡。水太静
它跃动的姿势曾经那么明亮地映在天上

水的眠床，为水赋形，匠心一再更改
植物在漂浮中决意寻找登陆的途径
岸何广，青萍上升的企图多么无奈

终归有谁回身水上建起唯一的王国
莲的花茎就是道路，把答案解开
那醒悟的子民也暗暗摆出她洁白的花朵

（选自《上海文学》1996 年第 4 期）

遇　狗

假如我踩到那只狗的尾巴，它会咬我吗
它会扑向我的一条腿或两条腿
假如我能快速地躲开，它会停下吗
是会对我低头、喷气或摇尾

假如我抱狗，它舔我，我会拒绝吗
假如我把乞丐啊歹徒啊引进家门，它会
欲扑还迎吗？或者我和狗无缘
我自己便是都市里一条浪游的狗

忠实地，守着一棵树，守着逝去多年的
主人，夜里便在街巷摸索，找回丢失的
影。睡梦中打开门，向天空喊叫
晏起的日头就会匆忙一跃坐上雪橇

当我把自己编入故事我会惭愧吗

我踩进阳光的雪地是一条腿或两条

或者高处有什么落下踩住了我

不知狗的习性是接受还是闪躲

（选自《诗探索》2009 年第 2 辑作品卷）

作者简介

余禺，本名宋瑜。1955 年生。祖籍闽东。现居福州。已出版诗集《过渡的星光》《空出的场地》。另著有散文随笔、文学评论等。作品被收入多种选本。中国作家协会会员。曾获省内外创作奖、编辑奖多项。

沈国徐作品

深爱如此

像烟花一样寂寞的女子

可否放得下这所有的思念

它们像钉子一样

而风景早已生锈

为何在寂寞的淘洗里依然鲜亮如初

哦，这像桃花一样美丽的女子

在岁月的枝头上只绽放一次

然后把春天的火苗全部收进心里

空空的四壁，除了洁白，除了心跳

除了空出一双手暗自抚慰着

昨天挺拔今天低落明天将凋谢的所有

即如此深爱又深爱如此

谁又舍得敲开一扇窗

惊醒所有入定的红尘

（选自《福建文学》2013 年第 4 期）

天　涯

天涯，在女人的心里

越优美的女人

藏着越深远的天涯

那时我们都以为，数学是最完美的科学

而宗教，常常在山巅

耐心地看我们慢慢地爬上来

那时，我们都不知道宇宙的另一极

正等着我们用恋爱

打开

（选自《中国法治文化》2016 年第 7 期）

作者简介

沈国徐，1977 年生，福建诏安人，已出版诗集《沈国徐诗选》，现为福建省作协会员、全国公安文联会员，曾获第 22 届柔刚诗歌奖、首届中国公安诗歌奖。

沈鱼作品

她们还要在世上活很多年

她们还要在世上活很多年
这样的话让人流泪
如果我已无法看护她们
我希望她们的悲伤与欢喜都少一些
只要平静地过

恍惚是从前，也宛如未来
我们是同一个灵魂寄居在三个身体里
我知道你终于学会了伤心
但希望迟一些

现在，你们睡姿纵横
因为伤心而感到疲惫
我坐在黑暗中，看着你们睡去
感谢今夜，没有突如其来的雨

(选自《诗刊》2015 年 2 月号下半月刊)

借　命

有人忧国忧民，有人为一个下雨天
几只小鸟伤心，谁更深情

有人借酒，浇不堪的往事与前途

有人借命，还几个至死牵挂的亲人

我借几个汉字，给贫贱的魂魄

安身立命

时代与命运使我难安

我庆幸仍有几条小命可依

我愿折寿抵病，平安相守

也算人间一个来回

（选自诗集《借命》，中国青年出版社 2016 年版）

欲 晚 亭

春天总是死得很慢，柳树厌倦桃花

光阴太闹了，但还得忍着

公交车在山路打滑，却不为花香倾倒

深渊用幽暗喊我，我不能答应

我一答应

就浑身冰凉

欲晚亭正好躲雨。我也不必非到山尖

有一对兄弟拾骨下山，有说有笑

顺便折几枝桃花。悲伤容易用尽

悲欣交集正好别离

有人想等雨停了再死，但雨下得太慢

在雨滴中插队不体面，也没礼貌

更何况春光里，几个游魂还流连人间
其实没有特别想看的风景，只有一间
枯竹飞蓬的
欲晚亭，背崖临渊，风雨飘摇
而我远道而来，也只是为了当面
给它命名

（选自诗集《花香镇》，上海文艺出版社 2017 年版）

作者简介

沈鱼，本名沈俊美，1976 年生，福建诏安人，中国作家协会会员，二级作家，出版诗集《借命》《花香镇》等，参加诗刊社第 32 届青春诗会。获《诗刊》年度陈子昂青年诗歌奖、《诗探索》中国诗歌发现奖等。

张小云作品

时　代

楼道之字形向上
之字形向下

戴帽的老头
坐在拐弯处
吸烟

楼有几层
他忘记了
台阶有几个
他忘记了

向上爬和向下踏
他都忘记了

他就
双脚垂着
烟圈向上浮

四面互相照光
方形的井
底下又是方形的井

不知是在井底还是井中间

烟圈向上浮

脚垂在下一个台阶

烟吸完了

再接一支

（选自《中国现代主义诗群大观 1986-1988》同济
大学出版社，1988 年版）

我去过冬天

我去过冬天

看见母亲

在那里洗澡

麻雀在母亲的发上踱步

太阳正红红地在湖的尽头摇摆

上下都有一个太阳

我记不起是黄昏还是早晨

但我相信

游到湖底

很快就到西半球

母亲站在湖里

一半早晨一半黄昏

母亲在洗澡
麻雀在她的发上来回走着

（选自《中国现代主义诗群大观 1986—1988》，同
济大学出版社 1988 年版）

作者简介

　　张小云，1965 年生于厦门同安，原籍东山。诗作见于《中国现代主义诗群大观》《中间代诗全集》等。著有《够不着》《现代汉语读本》《北京类型》《人缝》《数字化生存》《一路畅通》《我去过冬天》等诗集。曾获亚洲诗人奖、李白诗歌奖等。

张文质作品

持久的注视

从桌面移走一只杯子，
我们心爱的面容，
正等待着谁能够抑制，
杜鹃花泄露出的声音，
谁在爱情的歌声中，
几乎失去一直坚持的职守，
并被抚爱之手惊吓？
恐怖之爱因为反复映现，
而渐渐变得亲切。
一个无知的承担者，
他身体的所为，仿佛从未存在，
却仍停留在裂变的一瞬，
剧烈的强力支撑着，
进入一种平衡。

这时黑夜就是静静的爱抚：
真实，长久——
这时谁都忘记了无奈与憎恨，
而每个时辰的守候，
却又最终转化为致命一击，
在唱歌的牙床上。

（选自《福建文学》1998 年第 7 期）

一 首 诗

再写一首诗，再一次安置
一个词，每一次怎样的
一个词

我不是一个人，我惊动
数十人的睡眠
他们梦见，谁做了自己的替身
谁能够独自飞翔

它的声音曾是，现在是
膨胀的虚无
带着早已屈服的双膝
动物一般恬静的脸

着了火的汉字
浅薄，没有声音的信物
去远方，可以听见
滴水，一笔一画

留住石头上的痕迹
消失者的洞穴仍在下面
浸入，驻足

几缕星光在嬉戏

（选自《福建文学》2004 年第 6 期）

返　身

倾身，像一个已死之人返回尘世
完成对自己的哀悼
这样的事不由分说，每一棵树上
都有一只乌鸦——吉祥鸟喜欢等在那里
黄昏时它会先开口

无非要说到天气，穿衣指数
提前预报夜晚还有何处
望不到五指——我只是望着它
我做过自己的事
我回到曾经消失的河流上

（选自《中国诗歌》2014 年第 6 期）

作者简介

张文质，1963 年生，福建闽侯人，反克诗歌发起人之一，已出版诗集《引向黑暗之门》《写给身体的戒备书》《张文质诗选》《哈扎拉尔的微笑》等。

张平作品

小 木 船

来往的十月，秋风打开了
匣子
我放出小木船
把十二支笔摘下
所有的远行于羊群有关
山的那边
与小木船有关

上面坐着空影山色
也坐着载不动的村庄
小木船打住流水
流水的牙齿锋利

错过十月，小木船合上
流连的人在溪岸
疾风不会告诉你什么
也不会慰问
小木船，很快像一块凝望的石头
没有突出什么
掌心深处也没有多出

秋风做了一次顽皮的孩子

游戏的孩子

小木船

也是游戏的小木船

牛 骨 谣

吹吧，它还是一弯月，凄清的风

荡开挥鞭

夜色中还有人低咽

把弦压回胸膛

悬在肩头吧，它还是一张弓

柔弱的暮晚

因为张开，张开暮色的身体

离弦之箭

从身体呼啸

很快会穿越

弦回到弦，也从骨头

再次远征

万物空无，又在掌心变幻如潮

（以上二首选自《江南诗》2018 年第 1 期）

作者简介

　　张平，1968 年生，福建邵武人，作品入选多种选本，曾获《山东文学》年度散文奖、福建作协优秀文学作品奖等，出版诗集《遥想》《在低处》《打更谣》。

张冬青作品

一条逆水而上的鱼

桃花如雨
一条逆水而上的鱼
遵照母亲的嘱咐
赶在清明之前
到雪线之上的崖壁去产卵

每一回向激流石隙发起的冲击
都是一次幸福的交尾
都有无边的快感和颤栗
尽管连绵阵痛　遍体鳞伤
不知道季节有多远　潭水有多深

她听见花朵次第打开的声音
梦见精疲力竭赤裸苗条的自己
通体舒泰躺在雪花遍地的岩草丛中
被一只苍鹰凌空掠起
带往更高更远的天际

（选自《福建文学》2012 年第 11 期）

在云灵峡漂流

一整个深秋的下午
泄入峡谷的云灵湖水将我裹挟
一波清流驮着两岸青山滑翔
苔藓湿滑水草波动
岩壁坚硬浪花汹涌
峡谷的风席卷落叶
绿树蓝天飞旋着呼啸的激流
皮划艇融化了
桨也无计可施
我一会儿窒息
一会儿呐喊
我被一遍遍淋湿
沿着波峰的纹路寻觅
左冲右突随波逐流
灵魂出窍找不到伤口

我看见那只翱翔的山鹰
旁透闪电云层
掠过丛林险滩
千万辛苦
擒获了那条泼刺刺的大鱼
闪耀的鳞片和着晚霞飞舞

我终于体会

什么叫酣畅淋漓

我想说
在闽北邵武云灵峡
四公里水道
五百米飞瀑落差
这里有险峡奇谷
还有云朵灵活的舌头

（选自《福建文学》2015 年第 3 期）

作者简介

张冬青，1954 年生，福建浦城人，福建省作协原秘书长。诗作发表于《散文诗》《福建文学》等。

张志平作品

丽江，我的爱

海拔 2416 米　还是红尘
我凝望你瓦层栉比的容颜
像海风亲吻出水的美人
不敢说　我已穿越千山万水
在你的鳞页瓦筒里　我们的秘密
是大胆的情话　在地平线永不消失

秋风与我们相约　往事的痕迹
在秋夜秋雨中愈加清晰
我轻步户户垂杨　小桥临波的天街
叩响你花树掩映的门扉
你的水乡之容　山城之貌
绝代风华　让我迷离

今夜　在你的怀里
我已万千爱恋幸福到死
你啊　心跳不要停止
灯火阑珊处　写着你的温婉和美丽
而我的终老岁月　是彩云之南
即将的结庐而居　男耕女织

（选自《福建文学》2008 年第 7 期）

九 曲 溪

从山脚到山顶　　我们跋涉而上

孩童般的欢愉　　把水之湄的绿音一一回避

我是秋天的孩子　　在丹崖峭壁间

建一座虚构的房子　　能云游和栖居

而你是林中的仙女　　一身的妖娆和瑰丽

在山野林间深藏不露地流逝

从九曲到一曲　　白云都知道

小小竹筏是穿越时空的情感发射器

我就在水路十八弯　　依然倒计时

让我的一生踏入同一条河流三次

探访前尘今生　　还有来世

（选自《海峡》2009 年第 10 期）

作者简介

张志平，1966 年生，福建惠安人。1980 年代初开始发表文学作品，著有个人诗集《一直爱，一直好》。

张志忠作品

在 黄 昏

黄昏还是黄昏
某某不是一个物件
而是一场日出　不会突然出现

此刻的玻璃杯与我　遇上了一只蝴蝶
别人遇到的　是我们喝醉的样子
我们破碎的样子
像一座废墟　还有迷人的记忆
在喊一个人的名字

嗯　黄昏以后
破落的村庄　因为爱
还有强壮的灯火

（选自《福建文学》2018 年第 6 期）

在 海 边

在海边　下雨
七月份的海鸥紧贴我现实主义的脸盘
充满着面巾的经验

感觉像是真的　等你来验证
你在经验之中

嗯　大海适时的汹涌
海浪会带来森林般的泡沫
当海浪没有了退路　礁石也没有了禁忌
喝光所有泡沫　醉成沙滩
碰了碰那光滑的灵性的贝类

（选自《福建文学》2018 年第 6 期）

作者简介

张志忠，1990 年生，福建惠安人。泉州市作家协会会员。有作品发表《福建文学》《泉州文学》等，入选《华语诗歌双年展》等，获 2018 年度泉州文学奖。

张应辉作品

夜的哲学

不知何时养成的习惯

夜里大家都躺成地平线

我悄悄直立行走

每个黝黑的窗口亮起微光

人们注视我路过

像是一场巡礼

是谁收走了夜的自由

我把灵魂交与土地

互不相看

简单地睡着

如果精确计算

我们的年龄都要减半

谁都知道

当我们谄媚黑夜

我们注定被隐瞒岁月

所以我穿行去寻找真相

等日头初升

我发誓与地平线垂直一辈子

（选自《西部》2018 年第 6 期）

很久没听婴儿的哭声

物理上声音可以穿透铜墙铁壁

我敞开门窗让它毫不费力地穿越

它刺穿我胸膛的瞬间

我的心跳加入这百乐合奏

我仔细梳理这些声响

唯独听不见婴儿的啼哭

楼房庞大的躯体重压着土地

我瞥见悬崖上迎风飘扬的树苗

它坚持繁衍让风景美丽

在这城市的一角

如果没有听到婴儿执着的哭声

还有什么可以震撼这个世界

即使百鸟齐鸣，万马齐喑

我依然感到万籁俱寂

（选自《福建文学》2019 年第 5 期）

作者简介

张应辉，1972 年生，泰宁人。福建省文学院院长，省文艺评论家协会主席。在《诗潮》《西部文学》《福建文学》《台港文学选刊》《厦门文学》《泉州文学》等刊发表作品。

张幸福作品

被记忆的水孩子

是谁能如我样听到命运深处传来
你轻轻叹息　水孩子

你微闭着几乎裸露的深夜
一脸惆怅迈着蓝的脚步
走过海水　看见一身血水的船只
和那些被人们遗忘的坚定的刀

还是继续往西　漂泊中草写一整片大理石
找出他们
——沉没的海水　蔚蓝的海水
在月光的边缘　手的钟声　星辰的四肢里
让我们看见一群酣睡的海水

（选自《福建文学》2007 年第 3 期）

天空奔跑的狮子

也许是靠青瓷煅烧后的灰斑点才认出她
风在飞　天空奔跑的狮子　喘息着
张开黑漆漆的大嘴
在窗外搬动庞大的声音和躯体
似有似无的脊梁下
她的腹部急促收缩　鼓胀　再收缩
"回忆总是如此忧伤"　我努力要
放弃任何记忆　来到她宽阔的表面

在黑暗中静静让树木的晃动成为
与我无关的不眠灵魂
可风在飞　搬动的是书桌上看似平静的事物
漆黑的马头灯　土灶下
一团微热的木炭堆　从山头落下的雉鸠
和围绕在火堆现已离开的长辈
他们现在是否还聚在一起听这风声
"婶子，吃了没有"　一个残疾玩伴跨过门槛
他对我母亲的问候此刻在风中还相当清晰
是啊　风在飞　越飞越远
一个人在深夜被搬动的　何止是这些

（选自《福建文学》2008 年第 7 期）

黑　锚

锚是船的一只手。青黑的爪，铁链一滑
哐当一声，船慢慢就抓住了海的身体
每当我累了，就渴望有一个锚
黑着脸，紧拽我，哐当一声
慢慢抓住漂泊的生活，让它缓慢下来
这锚，拉着我的血肉，或者欲望
它让你疼痛。当然，也让你滑不到
更深的漩涡

（选自《福建文学》2014 年第 9 期）

作者简介

　　张幸福，1973 年生，福建霞浦人。中国诗歌学会会员、福建省作家协会会员。2011 年参加《诗刊》第 27 届青春诗会，2013 年参加鲁迅文学院第二十届中青年作家高研班。诗歌作品散见于《诗刊》《星星诗刊》等，入选多种年度选本。著有诗集《阳光青青》《隐约看见大海的颤动》。

张勇敢作品

每个人被隐藏的部分

人群苦练伪装术，在失眠中拉开巨大的黑色幕布
尚未得到的孤独陆续登场，舞台危机四伏——

零点刚过，便开始有几张陌生面孔出现
那些在生活间隙处，被我忽略的人们
在夜里循着某种路径，重新叩响我身体的大门
辗转反侧之际，用尽在陌生人身上虚设未来的想象力

前半夜我们曾蒙起双眼，品尝危险事物带来的美感
短暂的肉体欢愉，在春天面前显得渺小
同样微不足道的某些渺小事物，诚如此刻的我们
小心翼翼，长出许多被隐藏的部分

西禅寺早起的公鸡按时拉响城市警报，福州的夜色
企图从我体内全身而退，我慌忙收起昨夜暴露的骨头
那刚刚支起的身子又一次垮了下来

（选自《诗歌月刊》2017 年第 11 期）

登东华山

驱车至张家地，已是海拔五百米

这是徒步前的最后一个村落，抬头望
东华金顶在蓝色幕布前静待虔诚的香客
此时的金顶是如此小，佛亦如此小

剩下的五百米高度，我们迈开双脚
谨遵老人"晨不食荤"的告诫，心怀敬畏

沿路，满山的雾凇继续着昨夜一场雪的狂欢
簌簌地往下掉，我们走走停停
却始终与它们保持着另一场雪的距离
此时，距离是必要的，沉默是必要的
不要大声疾呼，把内心的我极力摁住

登东华山，每走出一步，我们就小了一圈
每走出一步，佛就大了一圈
我们越走越小，小成了路边的五颗石子
佛越走越大，大过了寺庙和天空

（选自《星星》2018 年第 9 期）

作者简介

张勇敢，本名张浩，1994 年生，福建宁化人，厦门大学硕士研究生，诗歌散见于《诗刊》《星星》等刊物，出版诗集《森木》，获 2019 "东荡子诗歌奖·高校奖"。

张晓坤作品

北纬 26 度以南

天冷了，我把淡淡的伤
晾干在北纬 26 度
以南
北纬 24 度的你
是否晴天

那次手术后
你的一块颅骨换成了肽网
在寒冷的季节
你会把所有的痛
挤进跳跃着的方格子
然后让它生锈
成了一张被岁月腐蚀的笑脸
当孩儿向北移了两度
在你冰冷的肽网
疯狂地长出了思念的肉
我转身
泪流满面

北纬 24 度与 26 度间的铁轨
如你今晚的白发
一样地长

我悄然坐上动车

不经意间进入了你的梦

（选自《诗选刊》2012 年第 7 期）

潘 厝 村

两棵树支撑的潘厝村

一颗叫曲江衍派

另一颗则是荥阳传芳

张姓枝繁叶茂

潘氏血统纯正

此外别无旁枝错节

比姓氏长势更为良好的是楼房

番薯却没有以前大块

被海岬人称为山顶的潘厝

其实并没有山可靠

名字有山的人不少

成为山的几乎没有

（选自《诗潮》2018 年第 5 期）

作者简介

张晓坤，1992 年生，惠安人，出版诗集《慢性胃炎》。

张朝晖作品

故　乡

巅峰　静寂
1544.8
它保持着一贯的高度和姿势
只当山风突起
它才发出汹涌澎湃的呼唤

多少个无名之夜
故土的梦境呼啸而至
而它只是一个个难再捕捉的过往
一草一木谓之辽阔
一山一水谓之磅礴
是谁伫立在时光的背面
仰望回不去的降生之处

物换星移
世事沧桑
在疲于奔命的路上
故乡的名字和姓氏的渊源
无端增添了太多的愁绪

众鸟高飞
孤云独去
一颗来自他乡的石头兀自感伤
流水长东　奔腾不息

它愿为心中的故乡
风化成泥

（选自诗集《语言的碎片》，黄河出版社 2015 年版）

镜　中

刀锋掠过疯长的麦田
收割了一大片日子
雨水冲刷被侵蚀的沟壑
山丘纵横

曾经翻越过的山顶
风吹草低
曾经一苇渡过的江河
半江瑟瑟

山海依旧
秋风劲吹
如今
是谁站在谁的面前
在悲欢离合之后
认不出自己

（选自《天津诗人》2017 年第 1 期）

作者简介

　　张朝晖，1972 年生，福建省平和县人，现居漳州。中国诗歌学会会员，福建省作家协会会员，福建省书法家协会会员，漳州市诗歌协会副秘书长。作品散见各种报刊，出版个人诗集《异域》《语言的碎片》。

张漫青作品

紧　张

那年我很紧张
一脚踏空一个朝代
晨昏有羁，光线低垂
一心一意躲避一个人

那年那人，裤带松松
灯似烂梨，人若剪幻
那年我很紧张
一心一意躲避一个风景

那人那景，光滑有力
曲调有节，性欲如弓
他从暮色来
我往暮色去

那年我很紧张
眼含惊鸟，心埋苦荷
我有绝世的悲凉
我有绝世的紧张
那年
我就那么
一心一意的

紧张

（选自诗集《失眠犯》，大众文艺出版社 2012 年版）

小镇之夏

而我渐渐成为林荫小道上
著名的白衣女郎

穿过一阵阵石雕似的痛
我始终眉目不清，夜夜与灯火诀别
我将带走草岸深处的全部萤火与叹息
而我还能喊出另一个夏天

那时我脚踩归途，一遍遍地回家
母亲已被世界借走
多少年了
她只有我这么一个投影

而我渐渐成为林荫小道上
著名的白衣女郎
我想那是一个夏天
我的母亲背影绰约

（选自诗集《失眠犯》，大众文艺出版社 2012 年版）

作者简介

张漫青，女，现居厦门，作品发表于《诗刊》《中国诗歌》《诗选刊》《西湖》《上海文学》《山西文学》《福建文学》《长江文艺》等，已出版诗集《失眠犯》。

张鞍荭作品

秋天，给小桃
——我们端坐在明媚的风里，彼此眉眼清晰

"秋天，秋天——"
你欢快地喊住水面上跳跃的光
秋波一圈一圈送着
坐下，看不见的绸缎从身边抚过

"桃，你怎么只有一个酒窝呢？"
我轻声问你，你羞赧地闪躲
看，纷红的杨桃花飞快地结出油绿的小果
明黄的丝瓜花，像一个大家闺秀般正襟端坐

它们瞅着我们，天真无邪
你摸摸我的椰子，它这么慌张，紧紧缩起
笑声一掉落，就乱成一团
夜幕降临，便把琥珀的光咽进肚子里

这是哪一年了？我们错过了多少
这样高爽的晚风，我们第几次
濯双足于月下的溪涧，脚随水流走
一恍惚，就看见彼此拨开草皮，轻轻起身

（选自《福建文学》2008 年第 7 期）

烟 火 令

1

暗部的线，决绝的一扑
现在已没有什么能令我沉醉

风中的硝石之味，娃娃的笑脸
芳华正盛，玉树银龙，指尖深深陷进的肉

一切都在退潮，明明这么近
烟火为笔，书此夜色，或直或曲

2

爱是因为孤单，孤单是因为太热闹
错误像春天的草，瞬间就满了整个江南岸

花从掌心长出，糖从掌心长出
我蘸着这笔糊涂账，画五色之火

热闹催生孤单，孤单催生爱，爱催生更多爱
月亮将太阳的光反射回来了，请你收下

3

礼花是一种信号
开始或者结束，你仰着头，青丝从颊上掠过
一切正正好，该听到的听到，该看清的看清

有一阵子，我脑中满是礼花
粉红靛蓝，染遍整条江
水浩浩荡荡，像一张新契约

（选自《福建文学》2016 年第 6 期）

作者简介

张鞍荭，1980 年生，福建惠安人，已出版诗集《告别春天》《往南走》《空白书》。

阿里作品

秋 水

思想深处秋水起伏　幻化波光——
澄澈的虚空背后　丈量着水的高度
"当下"的言说　风影只是轻轻划过
求证的呢喃声里　仰升朝花夕拾

秋的传说　在元宵的灯盏中渐次开放
如水灵动晶莹　在蓦然回首之间
枝头上感受季节　内心里滋长悲欣
莫辨着来路去路　匿迹在莺飞草长

人生有如蛇行的摸索　压着蛙声蝉鸣
倾泻的光影　总是不曾拐弯抹角
彼岸的温馨　总在失望中警醒
万水千山走过　像是那一瓢饮一箪食

水声四起　弥漫的软语随同水仙花香扩散
沉甸甸如凝重的秋叶　如背上的行囊
误读误解中幡然醒悟　寻心问路
且删繁就简吧　秋水已是泛起涟漪

（选自《福建文学》2008 年第 7 期）

痛 之 外

总有一些无法说出的……
说出的　轻重缓急中井然有序
是想内心有多少可以的承载
合适不合适　隐隐约约可以感觉得到

一个字一个词　都像是无情的阉割
自知冷暖　也自知着一些不变的定数
紧随风云　似醒非醒间说梦成真
多少减负　在愈来愈重的喘息里高蹈

枷锁是与生俱来的——
像是人造的玩具　复制中难免偏颇
在那一尾摆动的阴阳鱼里　坐看星河万象
看见看不见　只是想到想不到

多少有些不合时宜　像是意外
砰然的钝击中　失去北南西东
裹一身泥土　面目全非直至山川再造
镇静是需要朗读的　如同光慢慢变老变黑

（选自《福建文学》2014 年第 3 期）

作者简介

阿里，本名李来有，1964 年 9 月生，福建漳浦人。福建省作家协会会员、中国诗歌学会会员。诗歌作品散见于《作家》《福建文学》《诗歌报月刊》等。

阿曼作品

一个人的聊斋

乘着这深秋的萧杀，这暮晚的寂静
这久无人居的村落，还有这少有人走的巷陌
我们一起演一回聊斋好不好？
我是那只顽皮有余，却又情深似海的狐
我先变作一棵草，一棵狗尾巴草
在你困得打盹的时候，用毛茸茸的枝条
在你鼻梁上来回地挠，让你气急又懊恼
然后变成一棵树，在你睡着的一夜之间疯长
让你一出门，就在树干上撞一个包
我还会在你常走的路上拐弯、驻足
然后绕过你的身后，在你的背上写写画画
写的是前世的文，也可能是来生的字
总之我究竟写了什么，你费尽心思也猜不着
你就那样呆呆地思考，呆呆地前行
呆呆地走走又停停。呆呆地爱上我给的难题
爱上我若有若无的身影，忽快忽慢的脚步
剧终，离散。你悄悄失落，渐渐遗忘
忘掉这情多情少、缘起缘灭的虚构
而我明知天不会荒，地也不会老
还依然固执地守着这若即若离的邂逅
如梦如幻的虚空。忧伤，一直到终老

（选自《福建文学》2013 年第 8 期）

鱼 二 章

一

叫我鱼吧

别呼我的姓名。更不要叫我老师

我要像鱼一样在水里呼吸、玩耍

随心所欲地小憩，或者酣眠

你若再提那些家事、国事、天下事

我就像鱼一样对你翻白眼

二

据说鱼的记忆只有七秒。那么

前一个七秒，我爱过谁

而现在的你，是我的旧爱还是新欢

这些又有什么重要？

我只希望以鱼的方式来谈一场恋爱

七秒钟之后，相忘于江湖

（选自《新世纪闽东诗群作品卷》，长江文艺出版社 2016 年版）

作者简介

阿曼，本名陈曼远，女，1973 年生，屏南人。福建省作家协会会员，已出版散文集《青苔细语》。诗作见于《诗歌月刊》《中国诗歌》《星星》《福建文学》《诗民刊》等刊物。

陈上作品

初夏的朗诵者

他试图将冰的破碎
朗诵成流星撞进蔷薇心脏的声响
他试图将火的降落
朗诵成羽毛种进落叶血管的演奏

作为宗教的囚徒，书本的铁锈是他夜晚的寂寞
有一杯的海水堵塞他观察树根的眼神
初夏有过多的生物重生，他们被大地支配
根深蒂固的存活
比如咏叹的蟋蟀，耽于追寻的蚯蚓
还有被一阵又一阵风所咀嚼的蝉
没有什么可以在他眼里下葬
即使是已冻结的海水

薄情的朗诵者深深敬佩的一次枪击
有一万个水手投身于火焰
衰老的狗带着祖母的瓷器盛满骨灰
他开始阅读波涛上晦涩的字眼
沉郁的海水将新生的骨骼推向岸边
他读取一个季节，妄想读取永恒的生与死
泥土里爬出深色的诗人，说："谁都是火焰的产物。"
"我爱我的死亡，火焰超越一切。"

就此被一个夏天点燃

他向先哲的灵魂哭诉
初夏的蔷薇杳无音讯，而第一片落叶已然抵达
在夏天刚来的时候，那个朗诵者坐在海面自焚
他的一半被燃烧，一半被冻结
他生无所依，死无所恋
他最终朗诵一个真相
那光芒并非创造，那冰寒也不是消亡

（选自《福建文学 2015 年专号：闽派诗歌新崛起——
福建"80·90 后"诗人大展》）

洗星辰的人总在黄昏痛哭

洗星辰是一件私密而庄重的事
这与写诗等同
总有一些秘而不宣的隐痛和欣喜
在黄昏起身的时候，慢慢浮现
像去年的蛙鸣在寒夜里回甘
像流浪少年的头发缠住青山
时光的喉结被我一把掐住
所有谎言和企图就此咽下

唯有眺望，才让夜晚哀伤
远方是一个擦拭不掉的痕迹
露出你蹉跎的小小暗恋

那些潮湿的眼神

那些淤积于你内心的否定

我是被你咀嚼多年的名词

但你始终未曾将我吞下

在黑暗苏醒之前

待洗的星辰仿佛大病初愈的少女

憔悴、柔软

却透出某些坚韧而不容置疑的力量

这必将消逝而永恒的光芒

它就是一首诗歌所谓的悲欢与情愁

它就是我和你

在黄昏时刻，清洗往事和寂寞的回响

（选自《天津诗人》2015 年第 3 期）

作者简介

陈上，福建仙游人，1987 年生。已出版诗集《再造星辰》。

陈小三作品

西藏在上

西藏在哪里？
一段视频中，诗人张执浩说——
它不在东边，不在西边
不在南边，也不在北边
它在上面

坐火车，自驾车，骑摩托车、单车
从下面上来
坐飞机的人一步登天
从天而降
人们这样来到了上面
落在地上，感到晕眩
这不是恐高，是高反，高原反应
短暂的高反后，人们发现
上面还有上面

其中一些人去登山
更多的人去看登山的路径
喜马拉雅天梯，珠峰，8844
遥望，仰望
一些登山者
更多登山客登上了山顶

然后艰难地下来

——这一次我想是恐高

西藏在地上

在拉萨的新树叶下

一场小雪融化，几天的阴转晴

墙外的树，枯木变成新枝

树下泥地湿润

青草萌动

而街上的藏柳已是一片新绿

那柔软的柳条

仿佛在打捞我的心

皮毛之下，血肉之中

蒙昧的人类之心

明亮的动物之心

无法分开

人类之前与之后的新树叶

无法分开

人类与人类无法分开

我见过了四十多个春天

春天来到，为什么仍然惊讶和悲伤

这是第九年拉萨的新树叶

我的目光为什么躲闪

（以上二首选自《诗潮》2016 年第 10 期）

极　地

晴朗的傍晚，温度下降到地面
光线腥甜如弦
我在院子里蓝色的空中跺脚

台阶上黑猫的雕塑让我肃立
猫眼里，光秃秃的榆钱树枝间
鸟巢里月亮在破壳，生长绒毛

人眼、猫眼与月亮之眼相互凝视
凝视这古老的傍晚
等待着先开口说话的那一个

（选自《扬子江诗刊》2018 年第 4 期）

喜马拉雅运动

村里的牦牛退到了山脚
藏北的野牦牛逼近雪线

拉萨小檗叶如红纸
野丁香枯黑，泪痣般的桷子

刺玫之刺苦若焦糖
我辨认着风的颜色
仍在周末爬到半山

悬崖上，阿尼的白云之路
步入寂静的尘土
修行小屋是一块石头
门窗紧闭，门前的独活
拆除了倒伞形的花伞
撒下明年的种子，我身边
伟大的玛尼堆是三块石头
的造山运动

与一个地质年代名词相互辨认：
新生代第四纪全新世，人类世
辨认山顶的一只鸟：飞机里
装着下山换季的游客
天葬台上方，一只鹰鹫向我俯冲
索取它的前世：恐龙灭绝的那一天
前足化作翅膀飞上了蓝天

（选自《江南诗》2020 年第 1 期）

作者简介
陈小三（巫嘎），1972 年生，福建清流人。已出版诗集《交谊舞》。

陈小虾作品

深夜，落下的——

时钟前行，朝着凌晨三点钟的方向
松弛的水龙头，在滴漏
无法被拧紧、拧干的还有一些，黑
落下，无声无息

春天已过。入夏了，却意外地凉
让我不得不相信
在某处总有人在制造一场雪
落下落下，纷纷扬扬
所幸的是，我路遇这场命中注定的堆积
患上一个雪人的新疾

依旧失眠。空荡荡的房间，尘埃起起落落
心窝处再次灼烧，多年的老胃病又犯
竟觉温暖。开始像个老中医
给自己诊脉，抓药
一钱黎明，两钱时光，药引是蝉蜕

（选自《人民文学》2015 年第 9 期）

外公与石头

"我还真拿你没办法了?"
外公硬是要和一块石头过不去

外公曾用石头雕过菩萨
"菩萨菩萨,何为放下?"
菩萨不语
他把菩萨送给出家的母亲

后来,他搭石桥,建石头房
里头住着外婆、舅舅和我的母亲

现在,他硬是要和一块大石头较劲
硬是要扛着它上山
给自己做墓地

(选自《诗潮》2018 年第 9 期)

作者简介

陈小虾,女,1989 年生于福建福鼎,作品发表于《人民文学》《诗刊》《诗潮》《诗探索》《福建文学》等刊物。已出版诗集《可遇》。入选《诗刊》社第 36 届青春诗会,获诗探索·第三届春泥诗歌奖,参加《诗潮》首届新青年诗会。

陈功作品

一朵花的爆发力

一块橡皮统一一张白纸
一只桶改变一条河流的走向
一朵花的爆发力
透支了原野的知觉

南方，一座睡眠不足的城市
承受一种黑暗的亏空
事物本质的绽放，如同树木
和良知释放着绿色、清新的空气

在与月亮的较量中，花有花的伤势
深夜十一点，一阵毫无倦意的马蹄声
逼近卑微的草场，一场无法权衡
无法驾驭的豪雨，使石头迅速风化

切开橡皮，大雪非常隐蔽
敲击桶，水在另一空间流淌
一朵花，一张模糊的面孔
它始终和春天保持着一叶的距离

（选自《诗歌月刊》2006 年第 8 期）

安 然 桥

没有流水，安然桥依然是桥

我想尽一切办法

把自己骗上去，并非为了站在桥上

说一些有高度的话，而是想看看

桥下灯控的秩序，看看哪个谁

从哪里来又往哪里去

看看冬天怎样从高于安然桥的树梢

摘下叶片伤人。我不敢肯定

没水的桥不是桥，没叶的树不是树

时间枝头挂满责难

一灶柴火，漳州便是路过

安然桥像一只漏底的水桶

收捡一些无用的灯光

（选自《文学港》2015 年第 4 期）

我的秦时明月

一人一骑

草场只在想象中

那就喂它眼前的苍茫吧

请把露出来的马脚

收回，眼前版图太小

小到容不得别人插足

信不信马，缰绳说的不算

没有哪一盏灯能够拴住

四处飞溅的马蹄声

一城一池得失

不应该是陶俑考虑的事

我的秦朝，只在乎

深夜驰道

一个人的烽火

（选自《诗刊》2019 年 6 月号下半月刊）

作者简介

陈功，男，1969 年生，福建惠安人。曾在《人民文学》《诗刊》《福建文学》等刊物发过作品，作品曾入选《中国年度诗歌精选》《二十一世纪中国诗典》等各种选本，部分作品被译为外文。曾获得一些诗歌奖项。

陈让作品

火

去看落日的人有很多，他说我也要去

暮色下隐现的人群

脸上仿佛有焰火，但你看不到他

在暗处，他连影子也没有

昨晚太迟上来，所以他连今早的日出也都一起观望

除了裸露的山冈

还有什么可以照射。他试着找寻熟悉的路径

一只兔子也不放过

可兔子要吃草，草都被人烧光了

兔子也要吃人

可人们的脸上仿佛有焰火

况且他从小就有，否则

他有什么，除了烤红薯没有麦地可以燃烧

有的是苇子的苍白，天空的苍白

他说我也要去看

落日下的灰烬，草木沉淀下来的灰烬。灰烬中有焰火

有若明若灭的人群

再看一会儿，他就要回到人群中去

（选自《诗林》2008 年第 2 期）

在 四 月

雨中的微水池

放纵它的生机，它的鱼鳝

下沉鱼竿的铅坠，

开始我只是抛出诱饵，注意蓝色浮标。

我呼吸，这空气

清新得催生嫩叶并因此

不由在水面走得缓慢。

在水面，白昼逐步拉长它的阴影

把一个陌生人的背面横截

仿佛大地生衍外对称的美，越来越远

牛车隐入黄色的土坡

拖拉机的主人埋怨它的工具陷入泥泞

我却欢喜，云朵和细雨

它们放纵所有的花朵开在我两边

抵达家园前我为什么想念

我也是置身在故乡坟墓间悲伤可爱的人

（选自《福建文学》2008 年第 7 期）

花 时 间

一人，要耐得住寂寞

大不了出门而去，什么也不用带

让该来的客人不请自到

你只需郊外停停走走

遇到喜欢的野花

还可蹲下，想象自己是另一朵

来一起绽放，或者

什么都不是，只是因美存在

（选自《福建文学》2012 年第 6 期）

白露为霜

如今也没什么
可以爱的反而更显生疏。你，隐匿
不知所以，影响我的节气
感觉已去的白露
又成霜降？或者说——
我的感觉甚于你的白露，它是霜
比白露白
在荒草上滑行，触得满头雾水
却触不到别的更多
更多时候是的
你我归属于各自
你的星辰也与我的不同

仿佛去年秋天我感觉体内有星辰走过
今年秋天，隔着好些时光

（选自《福建文学 2015 年专号：闽派诗人新崛
起——福建"80·90 后"诗人大展》）

作者简介

陈让，1982 年生于福建连江，本名陈大樟。著有诗集《白平衡》《未展芭蕉》等，曾供
职于福建省文学院。

陈幸作品

地 球 仪

陆地没有起伏
海洋没有潮汐
一个巴掌摸过去
凹凸不平的地面
变得溜滑无比

用不同的颜色
为大大小小的国度
标示不规则的疆域
五个大洲
像五件百衲衣

怎么也找不到
人类之外的万千生灵
一块窄小的栖息地
龙色的星球
如一颗恐龙蛋化石

经纬线交织成网
抟成一个椭圆球体
底座勉力支撑
地轴已明显斜欹

推力下的转动

却掩饰不了

内心的空虚

摘一颗星星

是神话的故事

要占领整个世界

只需花上不多的钱

买一架小小的地球仪

现在　它正摆在我的书案前

天天瞧着它　天天都有

征服和占有

这些可怕的欲意

（选自诗集《流花为谁》，海峡文艺出版社 2009 年版）

叹　海

偌大的海，被摆放在了

天地间，亿万年来

反反复复做着一件事

追寻，或者退却，退却，或者追寻

亏盈有恒的月亮

高悬着孤傲，却极尽魅惑

给她的爱，大海亘古不渝

苦苦地追随，而今已经疲惫

大海容纳了天地所有
用阔大的胸怀，拥抱天空
可惜一排排浪，一次次奔向陆地
却怎么都爬不上岸来

在沙滩，我真的想
用自己的双手，把大海拉拽上来
而从我指缝间漏下的
是一抔无可奈何的光景

我有限的想象力，已经耗尽在了
大海深处——远方一派苍茫
那一条海平线，是我们这个宇宙
一截弯曲的时间

（选自诗集《诗歌榕城·福州诗群联展》，海峡文
艺出版社 2018 年版）

作者简介

陈幸，笔名芙蓉君，福建罗源人，福建省作协会员。作品散见国内外报刊及相关公众号，并被收入诗歌年选等多种选本，已出版诗集《流花为谁》《侯河之清》。

陈其雄作品

西湖梦忆

空中飘落的　是梦中西湖
发黄的照片　模糊二座城
某个局部　从一棵柳树开始
在阳光中的垂　露出白堤的秀腿

湖水似小池子　越来越小
照片渐渐清晰　超越视觉
和我们对大地的感知　树梢
在眼皮底下　风起于心

一个湖　没有一丝微澜
那些亭子　依稀昨日模样
我们将青春　奔跑此中
孩童的笑声　是我们安静

倾听午后的欢愉　湖的出口
照片边缘　我们的想象
适可而止　湖在城市内心
在我的心　在梦的内心

（选自《诗想长安》，海峡文艺出版社 2017 年版）

我的孤独像一只乌鸦
——或许是巧合或许不是

我的孤独像一只乌鸦
在葱郁的草地上
摆开青春的步子
草的上方　草的下方

小满后的湖边
微雨正在慢慢抽离
自己的身体　我听到
柳梢上另一只鸟的叫声

我的孤独是一只乌鸦
走向草地绿色深处
从西湖到坎伯威尔

它没有叫　只是走着
它没有飞　试图带走一场雨
清洗我湿润的眼睛

（选自诗选集《诗想长安》，海峡文艺出版社 2017 年版）

作者简介

陈其雄，1975 年生，福建建瓯人，作品散见于各报刊和各种选本。

陈俊杰作品

追 蝴 蝶

国王将迷宫，设到另一个迷宫中
让犯人们去闯。闯出去
就能赦免死罪结果迷宫成了监牢

追蝴蝶的人，寥寥无几
因为连蝴蝶自己亦迷失在了时间里
可这一切与我们又有什么关系呢

反正你手肘断裂的地方，会长出软骨
反正我放置桌上的枇杷不会一直
是酸的。它在继续成熟

（选自《福建文学》2019 年第 5 期）

选 择

众多选择摆在我们眼前
午饭吃不吃寿司，芥末蘸与不蘸
从这条学园路下去直行还是右拐
面对街头四肢健全的乞讨者
要不要给出怜悯，给多少

众多选择逼迫着要我们做出选择
更荒诞的是我们不能选择不选择

若能不选择，那该多好啊
就像梅峰寺里的那个老和尚
一生的修行，只是负责照看梅花

（选自《福建文学》2019 年第 5 期）

作者简介

陈俊杰，1992 年生，福建仙游人，诗歌见于《诗刊》《福建文学》《海峡诗人》等。

陈客作品

雪的花园

想念雪
想念一只飞进童年的蝴蝶

雪也在想念我
想念一片云穿过自由的天

蝴蝶易逝
就像永远也抓不牢的光阴

想念童年
就像雪又重新落进了花园

这个冬天，一场突如其来的雪
让越界咖啡花园
唤醒了无数沉睡的童年

内心的光

天黑了，一些光亮游出
由浅入深。我相信
这是一个忧伤者，向着内心祷告。
花园里还会有另一些光，它们或

躲在草丛里倾耳，或爬在高处
与另一些光私语。还有些性情温和的光
会冷不防地伏在一些冰冷的脸颊上
抚摸或者亲吻。更多的光
栖在阴影的背后，当一片叶子落下
或一阵微风吹起
都像是自己的心，被轻轻动了一下

（以上二首选自《星星诗刊》2014 年第 4 期）

作者简介

陈客，本名陈伟泉，曾用笔名刺桐飞花，80 后，福建泉州人，系福建省作家协会会员、泉州市作家协会青年创委员会副主任，有诗文散见于报刊，系诗客微平台发起人。

陈隐作品

盲 者

从现在开始夜已经打开了第几扇窗户
第几扇窗户后面隐藏着光明
临窗读书的人已双目失明，而那盏灯
亮着。照着他苍白的面孔
翻动书页的双手颤抖不止
他醒着，而谁在沉沉睡去？

双耳充满着歌声，双目失明的人
打开两扇窗户，他要把看到的光明告诉谁
黑暗就像头发，在身体虚弱时疯长
手指触摸到的岁月
覆盖着灵魂衰老的一隅
他说出了一句话：美丽的花
整个春天就在他的仰望中展开

内心保存得多么干净，坐在园中
"我已经感觉到你的纯洁"
他向鸟儿歌唱的方向伸出了手
一片羽毛就握到了掌心

正在醒来的人睡眼惺忪
梦中的情景真实迷人，而无法发现

被一本书封面挡住面容的盲者

他正被书中的一个情节感动，泪光闪闪

仿佛阳光接近一片清澈的水域

仿佛光明向着光明的源头上升

（选自《福建文学》1996 年第 2 期）

留　守

一路的景色在身后凋谢

是谁把我丢在这里？看着两个方向的

不同结局。那些前往的人

把背影撒到我周围，黑压压的树荫

我坐看，说自己爱听的话

我没有说出什么，我愿意

让一只鸟表达它的情感，空谷的回音

成为我最初的歌声。我移动一下身体

四周就转动成小鸟的翅膀

我看到了树叶，在翅膀上升时掉落

比我更孤独的那块石头

把浸入水中的一半洗去我的疲惫

在另一面，风吹动着我的头发

吹动经年的草发出细小的声音

那里的草籽，在不远处睁着双眼睡眠

就这样留下来吧！守护内心的草地

丢失的梦。如果遗忘被我记取
我就是有福的。我坐着
看日升日落，并等待到来的人
经过我的花园而不忍离去

（选自《福建文学》1996 年第 2 期）

作者简介

　　陈隐，本名陈善财，1965 年生，祖籍浙江苍南，现居福建建瓯。写过一些诗，发过一些诗，入选一些选本。

若溪作品

那些缄默的尘世

老木屋旁　那棵倾斜的白梅开花了
十几年的尘埃，连同你的缄默
就藏逸于树下
白梅花年年开的白
如不能诠释的人间
在每个薄雾的清晨

春风吹一吹　白梅花就落下
那些缄默的尘埃
沾了花瓣的灵气
在阳光下　又——被黄莺啄出

（选自《中国诗歌》2016 年第 6 期）

枇 杷 树

初夏，枇杷熟了
父亲一颗一颗交在我手上

这是你最开心的季节
你说，伸向邻居的枝条
就由它们去了

天气薄凉
日子冻在风里
你用稻草把树围了起来
那年的雪很大
折断了最大的枝条

年年，看它枝丫舒展
嫩黄的花落在院子
站在房屋的三楼
伸手就可以摘到　忧伤

（选自《绿风》2017 年第 4 期）

作者简介

若溪，本名谢秋菊，1967 年生，宁化人。客家诗群成员。有诗歌入刊《中国诗歌》《诗潮》《西部》《绿风》《山东文学》《汉诗界》台湾《创世纪》等。

范方作品

旅　人

从一个站口到一个站口
不疲倦的是等火
最执着的是寻求

萧萧的落叶在背后
纷飞的蛱蝶在前头

然而，旅人，这不是终点
只有起点，像江涛一样远游

（选自《星火》1982 年第 4 期）

对　镜

轻轻擦去尘封的镜面
擦去一角天空
有阳光漏下
溅起满脸的秋声

眸中水涨
接过一把桨
归乡的舟子
就从白浪般的发丛启程

（选自《滇池》1983 年第 9 期）

陶 乐：埙

以土冶炼成　陶
以陶为空山

火后心胸宽阔
其声旷远

至所以四方八极
至所以无始无终

呜呜　悠悠
云所以有天空与花与蝶之必要
之所以穿透一切

（选自《星星诗刊》1991 年第 5 期）

虚　静

听叶的生长
听花的声音
他在叶脉中停留片刻后
潜入花瓣
融为花蕊
波动是他　芳香是他
片片　缕缕　冉冉
是他

无形和有形

微觉有轻轻的飘洒

微笑在风和雨和阳光中

温馨原来是这么富有

斑斓是他

而此刻

他听到自己与万物的对话

（选自《诗歌报月刊》1991 年第 8 期）

雪中那人

在雪照的天籁中微笑　双手

平放在膝　如平放于碧波的那人

以去的血脉和风的体温去暖和草色

以爱心酿酒　以泪花铸剑

于蝶影中取梦的那人

默坐雪峰

其坐姿有震耳欲聋的喧响

（选自《诗歌报月刊》1991 年第 8 期）

作者简介

　　范方，1938 年生，本名范贞万，福建顺昌人，生前曾任福建省作协主席团委员、省文联委员、三明市文联副主席等，著有《还魂草》《今夜星空》《剑魂蝶影》等诗集。

林小耳作品

小 美 妇

她知道自己美的时候
已经不年轻了
偶尔素颜，偶尔淡妆
挤公车、逛商场
接住男人抛来的各种目光
她学会了适度暧昧，但不再对谁
交付身体。她眼里有火
轻轻溅出一点，就点着了路边少年的
慌。但她心如止水
再没有哪种温柔，可以把她刺伤
她在第十一根白发的末端
扼紧了自己有限的欢

（选自《青年文学》中旬刊 2011 年 10 月号）

小耳的墓志铭

她有小耳，爱听天籁
小心眼，爱与自己计较
小聪明，却总爱犯糊涂
她美过爱过也痛过，贪生怕死
但终于躺在这里生闷气：
还有那么多爱，没有来得及用完

（选自《扬子江诗刊》2013 年第 6 期）

作者简介
林小耳，1976 年生，宁德蕉城人，已出版诗集《小半生》。

林平良作品

海　趣

我如，一条小木船
听游鱼穿梭的浪花细语

米酒的许诺
笑开了海上的渔火

岁月在渔谣中透明了
梦与小贝壳

一支船队，击败了暴风雨
给人生一千万个心跳

新生如岸
而我的春天，从潮水赶鸟出海

海，给了水手一个意义
我勇往直前，也投入她的海

（选自诗选集《诗想长安》，海峡文艺出版社 2017 年版）

海 盐

潮来潮往
那蔚蓝还是如此蔚蓝

自由的风，幸运的水
东山再起，开放了血与光的涌动

向日葵，那男人如父与树为友
除了床，还有暴风雨与尊严

云朵也有一种意味深长
海石花，是我以生具来的诗或语言

南方的海啊，唯美的那风声雨声
阳光的少女在浪花丛中歌唱

曾经的泪水
海盐如花。木麻黄与涛为伴

（选自诗选集《诗想长安》，海峡文艺出版社 2017 年版）

作者简介

林平良，1965 年生，福建东山人，已出版诗集《在东山岛上放歌》《南国恋歌》《东山岛·鱼》等。主编诗选《诗人句间的东山岛》。现为中国诗歌学会会员，福建作家协会会员，漳州诗歌协会顾问。

林传凯作品

早　班

阳光无力时，才照进车间
洁净柔软的布拭擦内部零件

除去轴承转动，还有
王才志、龙老三、沈必军
他们来自云南，说着与机器格格不入的语言

他们把罢工的变速器拆卸又组装
像实习医生做一次胆囊炎手术，双手沾染污渍
额头沁出汗珠，神经高度紧张
第一次维修精密设备，让他们想起
在老家，亲手把喂壮的猪屠宰了……

直到机器有新呼吸，又动弹
阳光的噪声才充沛起来

在嘈杂中，冥想

有时，闲坐，入定。会想起春雨催眠
渐渐喜欢空间被填充得满满当当的浮华

咚咚咚或嗡嗡嗡，毫无章法

可是，当双手紧握铁钳，把烧红的钢铁往水里倾倒
淬炼萌生，寻觅鼓点
撑起劳作之歌，连贯忙碌节奏

铲子先在水泥地摩擦，尔后往扁头螺丝堆里掘
高音和低音
亢奋——那是翻山越岭的起伏

冷漠的机器有时，冒热气
渐渐地，我正变回一块生铁，蹲
守在铁匠的火炊下，等待一团燃遍高空的火焰

穿越山峦河流与生活的红霞
因为，一副轴承，有轻微的破损
高速旋转，发出噪音壮志凌云，停歇下来
让人猝不及防

（以上二首选自《泉州文学》2017 年第 12 期）

作者简介

林传凯，福建泉州人。福建省作家协会会员。曾获福建省优秀文学作品奖。作品散见
《鸭绿江》《诗探索》等报刊，入选《2015 年中国诗选》等选本。

林华春作品

秋　分

我们能分吗
秋天　秋天的田野吗
弯腰的稻穗在哪呢
我想给你的安慰在哪呢

其实秋和愁
只差了个心事
当大地一片清白
秋　你的心事谁懂

故乡　我想给你秋水
秋水泱泱　可泉源呢
我只看见　奶奶汲水的绳索
在阳台晾晒

村庄其实没有了秋
没有了沉甸甸
没有了
我可以　醉后点染的金黄

就这样期待吧　也必定的
当我冰冷的双手

插进泥土　我还能感觉到的
一定是一颗春天的心

秋分，就此分别吧
我在村头的榕树下
等你的一片新绿
回归

（选自《福建日报》2017 年 10 月 22 日）

春天的行走

春天的行走
与鲜花无关
与绿地无关

狗尾巴草的摇曳
显然是在向春风邀宠
一只不经意的松鼠的造访
抖落了蒲公英上旋转的阳光
以另一种姿态飞翔的蜻蜓
在屋后的池塘上
走出一串串跳跃的诗行
小溪无言　穿越鲜花和绿地
在林荫的拐角处回望
是在等待哪一位娇美的新娘

春天的行走
以雨的形式
一场缠绵　又一场缠绵
春天的行走
以风的名义
一瓢柔软　又一瓢柔软
在缠绵与柔软中
心
深陷春的沼泽

春天的行走
是一只放飞的风筝
在你的怀里
在我的心里

（选自《福建文学》2016 年第 12 期）

作者简介

　　林华春，男，1963 年生，福建上杭人，福建省作家协会、福建省文艺评论家协会会员，上杭县作家协会主席。作品刊于《草原》《清明》《诗潮》《诗歌月刊》等，入选《2010—2011 福建优秀诗歌选》《闽派诗论》等，出版诗集《生命的河流》《生命的轮回》。

林祁作品

浴　后

还是要有墙
才能拥有
自由的秘密
无须三点式
肌肤赤红如婴
房间是诗人的外衣

全身镜里走来女娲
　　　　　走来夏娃
　　　　　走来我
直勾勾地望着我
春之祭撞响
胸膛的回音壁

收腹　再收腹
乳峰突起如美学原则
以一生的音韵撞响
地狱之门
充满诱惑

永恒
乃花开花落

哦　给我一百次生命

我只愿切实地

做一回女人

（选自诗集《唇边》，中国文联出版公司 1988 年版）

致海边的灯塔

终于完成一次小小的移动，向海

把诗和过去都撕毁，扔进浪丛

留着那条河的石子

你垒成这座高塔

为什么选择悬崖

这是一座美丽的小城

有故事没有春秋

涛声低沉

你崛起，不为点赞

只为不坠入万丈深渊

零丁洋载不动太多的悲情

摸过石头的食指

翻不动史页

举灯，为远方传播光的热情

光线在黑暗的缝隙间穿行

黑夜如此沉重

黑与黑摩擦

迸发闪电

与你并肩

喜欢风流却只有风

这个夜晚没有月亮

身处灯下黑

风把黑夜撕成浪花

我把诗吟扔向浪尖

把未来的日子装进漂流瓶

漂吧，无以回归

（选自《福建日报》2019 年 1 月 19 日）

作者简介

林祁，20 世纪 50 年代出生于厦门。北京大学文学博士、中国作家协会会员、日本华文笔会副会长。现为厦门大学嘉庚学院教授。已出版诗集《唇边》《情结》《裸诗》。

林轩鹤作品

后羿射日

镀上爱的亮色
箭坚韧无比

霹雳做成的弓
蛟龙筋骨凝成的弦
流星的火焰铸成的箭
嗖　嗖　嗖
九只乌鸦应声消散
九个骄阳失去翅膀
膜拜的欢呼声中
后羿成了最后一颗太阳

把星星和月亮
浸在酒杯里
箭与爱一起
挂在墙上生锈
冷冷的弓弦
媚惑整个世界的眼睛

红日当空呵
一世英雄后羿
已无力
把心爱的嫦娥
从冷清的天上

射回温馨的人间

（选自《诗歌月刊》2009 年第 11 期）

茶　叶

指尖轻轻一拈
就释出一串轻盈的话语
就有了前世今生的约定
让我在醒来的清晨
开始慢慢回味

品一段远古的情愫
在岁月的脸颊，印上
你的唇香
溢出梦的颜色，把你解读
你的回眸，揉醒我眉间的温柔
一壶水，带我泅渡你的彼岸

倚一江春潮，抚一曲弦歌
寻找随风飘逝的花影
把今夜的梦，遥寄远方的你
让随风而舞的绿裙
招展自己生命的色泽

（选自《福建文学》2014 年第 5 期）

作者简介

　　林轩鹤，1963 年生，福建惠安人，中国作家协会会员、福建省作家协会全委会委员、泉州市作家协会副主席兼秘书长。泉州晚报首席评论员，仰恩大学客座教授。诗作入选多种诗歌选本，已出版诗集《沧海为镜》。

林秀美作品

从根部到花瓣的距离

拨开绿色的荷叶　　仍见光
在茎部
无声地奔跑

在最黑的夜
仍向往醒着
仍有内心空阔的人
细数花瓣的数量

明亮的花瓣　　光洁　　透明
但有多少梦　甘洌　寒冷
在黑夜的后面
一面是淤泥一面是流水
一面是丑陋一面是惊艳
多少荷花在没有成为荷花之前
都是这样
被隐忍、掩埋、无声地遗忘

从根部到花瓣的距离
就是黑暗到光明的距离

（选自《诗潮》2012 年第 4 期）

半个月亮

我要用我的一生想你
用一半的时光
吸吮甘露
抽枝拔叶
在那棵茶树里
在安溪的云雾里
我要和我青葱的模样
作永久的告别

请允许我曾经的一见钟情
允许我用另一半在等你
等待你滚烫的目光
犹如倾泻而下的春天
请允许我在你炽热的怀里
半推半就
翻云覆雨
半个月亮爬上来　良宵一刻
重过千山万岭

越过八千里云和月的艰难　我不说
也不说你万里流程的宿命　是
奔向大海
因为爱　我们相遇在这小小的茶杯
我们感恩　我们祈祷　你看

没有枝蔓的叶子是这么柔情
世事变得这般柔软
就像半个月亮　缓缓升起

我只是被你爱过的一棵茶树
飞奔千里
只是为了等待你流水般的过往　此刻
让我以一叶茶的伸展
你以一注水的飞跃演绎
高山和流水的交集和
前世轮回的欢欣

这一杯怀抱千山万水的铁观音啊
亲爱的　请喝出山的高度
请喝出海的宽度
还要喝出
我们相爱的温度

（选自《福建文学》2014 年第 4 期）

作者简介

　　林秀美，福建明溪人，中国作协会员。诗歌作品刊于《人民文学》《诗刊》等，被收入多种诗歌选本，出版诗集《水上玫瑰》《想象》《河流是你》。曾获福建省百花文艺奖等奖项。现为福建省作协副主席兼秘书长。

林典铇作品

新年愿望

经过一座坟墓，人间正过春节
那里埋着一家两代的骨灰

我要去不远处的寺庙，菩萨端坐堂上
古稀之年的父亲，走在前头
他停下来等我
我问：依你看，这座坟墓的风水怎样
答曰：左有青龙，右有白虎，但最好的风水是……

父亲顿了顿，没往下说
我们一前一后，路边枯草，用不了多久
又将郁郁葱葱，庙宇飞檐已经隐现

菩萨啊，请赐我一块好地，百年后
野草疯长
我和父亲靠在草根底下

（选自《人民文学》2015 年第 12 期）

盗　贼

那盗贼说：你的，总归会是我的
瞬间，你在想象中多了把刀斧
劈空气中的谁。那真是一大堆干柴
一片又一片，一个又一个
盗贼。半生你都在这种劳作中

挥舞着刀斧。一半世情一半恩爱
那盗贼在暗笑，"已进入妙的时刻"
可你没有觉察到不妙悄悄来临
继续劈，黑无常、白无常
被劈出来的，简直已是血流成河
你还劈还劈还劈还劈还劈，你已爱上了劈
你要劈出真相，通过劈来解救自己

（选自《诗刊》2016 年 1 月号上半月刊）

落　叶

燕子昨夜回到故乡的屋檐下
我把一首病诗越改越病

在异乡三十春秋，用十年茹素
母亲又教导我，要吃亏

蓝色的、紫色的小花
在草丛中想飞，雨似乎又要下了

回不到枝干上
每一片落叶都想哭
母亲装作没看见
轻声让我回老家买一块好地

（选自《诗刊》2016 年 1 月号上半月刊）

作者简介

　　林典铇，1976 年生，福鼎人，中国作家协会会员，福建省作家协会青年创作委员会委员，出版诗集《慢行》《在人间的春天排队》，参加《诗刊》29 届青春诗会。曾获福建省百花文艺奖等奖项。

林忠成作品

跑过坟场

跑过坟场　你有股被融化的幻觉
要避开泥土中伸出的舌头
空中阴云密布　说不清为什么这样

也许三百年前你对爱人的某次践约
至今还令满山的野枣树瑟瑟作响

把泥土披成皮肤
匆匆跑过　马不停蹄
你每天傍晚都会来到学校后山
锻炼　让自己死得慢一些
慢到让时钟追上你
满山的泥土追上你

谁都不甘心呀　所以大家都视而不见
在内心的坟场边漫步时会说："我的诗
还没写完，我的爱人还没爱完，我——"
生活密度于是骤增　变成高能量气压
怎么冷却它　坟墓托腮沉思着

你每天打坟场跑过
从来没听到泥土下的敲打声

你很希望有某个徇情的女鬼

在后半夜拜访你　用她点燃你的余生

哪怕是一声叹息也好　但没有

静悄悄的　整个山坡仿佛被打了哑针

泥土渐渐成了你腿的一部分

这样日复一日、年复一年地跑　准时、精确

于是你就成了坟场这架老时钟上的钟摆

晃过来　荡过去

到底是用这种方式来释放什么

还是提炼什么

只有每天下午的 4：30 分知道

（选自《上海文学》2006 年第 3 期）

水　珠

一颗水珠掉在土中，一会就不见了

一颗正在慢慢张开的水珠

准备好了要吸收知识、爱情

跟别的水珠一样

在树梢欢快地跳跃

充满激情地演出自己

有一天，一只隐秘的黑手

从夜晚的森林伸出

轻轻碰掉了这颗水珠

你可以想象一滴水
遇到通红的烙铁
发出滋滋的刹那
那晚，班主任的心被蛇咬了一口

（选自《北京文学》2008 年第 8 期）

作者简介

　　林忠成，生于 20 世纪 70 年代，诗歌刊于中外各种报刊，部分诗歌翻译成英语、德语，被选入多种选本。

林育辉作品

观察鸟的九种智慧

1

高傲的秃鹫狠狠摔下猎杀的骨头

天空一下子失去了方向

小鸟们纷纷钻进月亮的坛子

2

把钢铁的意志嵌入柔韧的肢体

红嘴热带鸟瞬间幻化出第十道无影掌力

军舰鸟在麦城打了个死结后

决定不再模仿人类可怕的搏杀伎俩

3

成功突破深海鲨卵的红腹滨鹬

撤离海岸三千公里以外的陆地中心

比司马昭还司马昭

它们需要把戏演足

4

用腐烂泥土及尸体堆积起来的巢穴

火烈鸟们可谓精力充沛

前世的精卫们
如何不感伤那衣钵的技能

5

从八十公里以外汹涌波涛胜利回归
再次挑战布满火山灰的陡峭山崖
这上帝发明的蛇爬梯子的游戏
对于企鹅来说
或许只是第一千零一夜故事的开端
而可怜的苍梧之野、汨罗河畔
为何总是脚步匆匆

6

巍峨的 V 型列队如共和国之阅兵典礼
马尔加斯岛上空乌云滚滚
白鲣鹕纵情欢乐如
珍珠港夜夜笙歌的基友们，它们怎料
一场来自角塘鹅精心布置之鸿门盛宴

7

克拉克的雄鹕们，掀起你的盖头来
尽情地跳吧——
高潮时刻伴随着预言的时刻
哦，希望之歌
哦，天上的火种

8

而这一刻，低调却挑剔的松鸡们
按捺不住其超然的美声唱功及
神奇的鹦鹉声模仿秀能力
那收藏的婚姻殿堂
（鹿粪与木炭精心打造的小木屋）
时刻扮演着橙红色的爱情艺术

9

肯尼亚火烈鸟不甘示弱
它们高昂的头颅如双乳间
激荡的红宝石
谱写另一曲鸽鹣的传奇人生

（选自《诗选刊》2016 第 5 期）

作者简介

林育辉，男，福建福州人，反克诗群成员，作品刊于《诗选刊》等。

林宗龙作品

引　路

踏上布满青苔的台阶
我踩着夜晚掉下来的新鲜叶子
轻微的窸窣声
传向那条被荆棘淹没的小径
充满未知和无尽，可能会碰上
野兽和坏天气
可能会遭遇雪融化后
所带来的寂静
为了证实那些可能，你拍了拍
我的肩膀，让我继续引路
从葡萄架子倾泻下来的月光
均匀地照着我
我感到前所未有的自由
我和我的身体来到了大自然
最隐秘的深处

（选自《诗刊》2016 年 6 月号下半月刊）

积木游戏

缓慢构成了我
我是房子；围墙；停车场
意识以外的形态

你推倒了这些刚搭起来的积木

或者我还不是你的父亲的时候

亲爱的小家伙

当你垒起这些方糖一样的木头

没有边界的缓慢在蔓延

当你会说爸爸它们像……

房子；围墙；停车场……

或者它们什么都不是，仅仅出自

一种本能的联想

然后，你再一次把它们推倒

我仍旧心满意足

我被遮蔽的另一种缓慢

正要被唤醒

（选自《草堂》2017 年第 1 期）

幻 象 学

一头麋鹿在山间走丢了

在徒劳的瞬间里

我得到床、岛、骨头和爱人

我得到它们时候

好像我就是它们——

多么具体的劳作

床在海面游荡

母亲，那是一座岛

没有路可以通向那里

这并不是秘密

我需要一块干净的骨头

用来强调——

我一生的羞愧

都在和得到的部分和解

在一片摇曳的珊瑚

你看我的爱人，一只蓝色水母

在努力靠近

她从没存在过的触须

（选自《星星》2018 年第 8 期）

返 野 记

芭蕉树叶颤动时

一个启示，哦，蚱蜢在草尖的跳跃

这些矛盾的降临

从来都不和我打声招呼

地球的另一侧，虎头鲸捕食着沙丁鱼

你口中的上帝在丛林现身

然后是白鹭，一头大水牛在野地里

来回甩动着细尾巴

稻穗顺着风势起伏，蝗虫在黑暗中交媾

这些掠过暮色的万物

恰巧是我任何时候的处境

（选自《诗刊》2019 年 3 月号上半月刊）

作者简介

林宗龙，1988 年生，福建福清人，曾参加诗刊社第 31 届青春诗会，已出版诗集《夜行动物》。

林娜作品

在苏州，为你写诗

在苏州，每一声呼唤都曲折有致
每一缕呼吸都闻到花香
伏在你的胸前听窗外的流水
今夜，我要把你的名字写在水里
烟雨江南，执手相看的瞬间
看草色从青黄到翠绿

黄昏漫上河水
风吹过，吹不散你的忧伤
搂住我，听任我说出心底的澎湃
这满湖的潮水，是谁？在低语
一切的付出，都成为一个珍藏的秘密
不离不弃

（选自《福建日报》2013 年 9 月 23 日）

静 坐 雪

在奔腾的群山之间
一场雪穿越了无数的时光
覆盖了此刻的我
这仿佛是预设好的场景

让我静静坐在雪花中间

放慢自己

这场雪积蓄了我所有的爱意

那些涂白的树枝、屋顶、溪流

这清澈的世界犹如你的眼神

照亮我的孤独

我还想象，下雪时

你就在我的身边

看我在雪花里飞舞

大片大片的雪花落下

带来马群、青草以及心里的流水

（选自《福建文学》2014 年第 5 期）

作者简介

　　林娜，1978 年生，晋江人。福建省作家协会会员，晋江市蓝鲸诗社副社长兼秘书长，著有诗集《两个人的时光》，获诗刊社全国征文奖、福建日报新人新作奖等奖项，作品入选多种选本。

林浩珍作品

搬　家

一生搬了无数次家

有的小　有的大
有的简陋　有的豪华

唯有一个家
从未换过
那就是　从出生
一直住到现在的
躯体

如果有一天
我搬离了这个家
爱我的人
请不要哭泣

我只是
搬家了

（选自诗选集《寄杭城》，鹭江出版社 2016 年版）

夜晚的声音

夜深人静时
有些灯熄了有些灯亮了

万籁俱寂中
有一张纸被撕碎的声音

人迹罕至的森林
一颗熟透的果实掉落地面

有物体进入水中
然后悄无声息

流星划过天边
有人泪流满面

(选自诗选集《诗想长安》，海峡文艺出版社 2017 年版)

动车第一次经过宁静的村庄

最初是一片菜叶颤了一下
接着是一根茄子晃了一下
然后是在园子里浇水的我
抖了一下

最后整个村庄一阵剧烈的轰动

我知道　我得搬到更远的山里去了

(选自《福建文学》2018 年第 4 期)

作者简介

　　林浩珍，1966 年生，福建上杭人，福建省作协会员，在《诗歌报》《诗神》《飞天》《星星》等刊物发表作品近 300 首。已出版诗集《回眸》。

林落木作品

天鹅绒一样的晨光

天鹅绒一样的晨光
过了不久，就被稀释了
崩塌了
从山上到山脚
我迅速地被一天的繁乱围堵了

这灰蒙蒙的一天
这白茫茫的日子
不久前
就在天鹅绒一样的晨光底下
可是，这么快它就放弃了我
放弃了那些
翘首盼望
或者低头隐忍的人们

他们和我，都是患难兄弟和姐妹
因为你
我对他们心存亲近
也因为你的离去
我对他们深感陌生
这些难言的长久的苦痛

我已经越来越难以稀释了

（选自《诗歌月刊》2010 年第 2 期）

春　风

寒风是从溪面上吹过来的

我走过的溪畔小路

并没有被吹起来，像绶带，锦帛

飘过岁月的头顶

一切都是安静的，即将掉落的柳叶

遮住女人的眼睛，格桑花

波斯菊……带来异域的鲜艳

飞翔的白鹭，压了压

天使的翅膀

一切也是不平静的，多年来

你一直在酿造着甜蜜

等我踏上对岸

你修好的蜿蜒小路，看你释放出

心里紧紧捂裹着的春风

（选自《台港文学选刊》2018 年第 3 期）

作者简介

　　林落木，本名林立新，1970 年生，福建莆田人。诗作入选多种诗歌选本。曾获第六届中国诗歌·突围年度诗人奖，出版诗集《致水边的村庄》。

林登豪作品

警 戒 线

心早已化为
一座寂静之城
封闭了自己的三原色
鸽哨划过
墙头的无花果树
不该想的东西
偶然又想起
一枚小小的种子
植进城墙的缝隙
淡淡的热量不停蔓延
与枯草同步

点燃一根云烟
明明灭灭
随意玩弄烟圈

白日梦开始流行
欲望泛滥
担心自己陌生自己

来一次深呼吸
溢出的情绪
和着某种节奏
飘飘浮浮
心中默默读着

还好　还好

（选自《福建文学》2017 年第 8 期）

回　归

在门前站成静物
夕阳几度谱写我的冷隽
发黑发硬的言语
疯狂地发泄

一只麻雀落在肩上
猛然感到自己的寂寞
不知何时开始聊天
自然而然的交流
滋润脚下的泥土

凝视悠然的群山
折叠那些不好说的事
张开手掌端详纹路
我想给自己算算命
不觉天又黑了

（选自《福建文学》2017 年第 8 期）

作者简介

林登豪，男。现为《福建乡土》执行副主编、福州仓山区作协主席、中国散文诗研究会理事。著有诗集《通过地平线》《边缘空间浓似酒》《折叠：都市与山水》等。曾获中国当代优秀散文诗作品集奖等奖项。诗歌作品入选多种选本。

欧逸舟作品

五　月

空白的诗歌把这天的雨熏得发黄

如你眼眸后的幕布

如我手中的旧籍

我希望这是一个情人节的夜晚

空气中的玫瑰神色不要太迷离

瘦高的仿宋体像水杉顺序立在岸旁

每一日我随着姐姐从湖边挑水回家

她桌下的纸篓里尽是悉心修剪的花枝

一株杂草也不放过

一个句号逗号也不放过

五月半

我的手指想念琴弦

今年的玫瑰很远

比记忆更远

寂寞在温柔而絮叨的生活中一尘不染

五月是一点旧

一点新，姐姐的水杉林模糊了舟

翻开记忆我只找出一行灌木

我们依旧去湖边　不取水

木桶写薄了岁月，如我手中发黄的你的眼神

（选自《福建文学》2014 年第 7 期）

橙花村十一号

黄昏鱼贯而过

在雾里，冬天庄严遥远

有人低唱　宣叙调　当火光的咏叹落音

在橙花村，燃烧与掩埋

雷雨夜前的课堂叫人

刹那　跌入漆黑

我们轻轻　随着暗的静谧

摸索钥匙　锁孔　眼眸。我们心平气和

……那么遥远

零时的街灯通明，倒影在路上

像家乡的江水拍岸

暖气管里　水流过弹琴人的手

到明天　树就瘦了

这些天上的骨头

怯生生地站在风里　遮掩我们的颤抖

皱巴巴的蔷薇竟然还开着

陌生的植物从南方走来就不离开

大约都是等雪

（选自《福建文学》2014 年第 7 期）

作者简介

欧逸舟，1985 年生于福州。鲁迅文学院第十一期高研班学员，中国作家协会会员，供职于《小说选刊》杂志社。已出版诗集《橙花村三十八号》，并获《诗歌月刊》2012 年年度青年诗人。作品刊于《人民文学》《诗刊》等。

卓美辉作品

无 名 岛

如何从一棵树，进入
一座岛
枝丫的指向
随风不定

群人深入草木
岛便隐去。在一棵大树背后
化石。被谈论
被拍摄

在午后显身
如一滴泪水抖动于
一片浩淼间。随即
消溶

而海依然不断在完善
它的空阔无极
你在远处旋开
门。波涛会涌进

当一群人退出草木
无名岛再现。螺贝

在倾听，在餐桌上
露出笑脸

你还在远处。正关门
下楼。在融入人海前
朝一棵大树，习惯性地
挥手致意

（选自《诗歌月刊》2011 年第 4 期）

像　人
——为林峰摄影而作之二

他对人世的热情
已所剩无几。唯独
在照片里，还愿意
对你微笑。也会
流泪。为另一张照片
背后的往事，追问
致歉。"还记得吗?"

在照片里他
呼唤你名字

盛夏将尽。你的
双膝被晒成炭黑

如你所愿。在照片里
他辨认不出。这个
似曾相识的中年男
住十四楼，离江水近
另一些照片里

你习惯打开
所有的门窗

八月的热风
抚过蒙尘的书籍
与床榻。一段细丝绳
带来的拯救，是
可信的。在照片里
他的脸颊终于
明亮了。彼此
交缠的感觉
变得很美妙

在照片里
他别无所求。除了
你还必须，缓缓
拧开水龙头
不为人知地，满足
一个比你更真实的
人。入夜前

被虚拟的水
淹没的渴望

（选自《西湖》2011 年第 6 期）

一棵树下

在一棵树下，你说起过
童年。午后的阳光，蜂群般
萦绕我

不远处，也是青草地
那个孩子，代替我
尖叫，打滚，拒绝怀抱

他哭红的双眼不再
迷蒙。晴空下，涌动
更宽阔的河流

这棵树下
苦涩的嘴唇，试探着
如枝叶，风中张开

（选自《诗江南》2011 年第 6 期）

来自北太平洋的风

来自北太平洋的风
带来的抚慰

一如既往。这小小的灾难
令人猜不透

为什么？她
必须连夜赶到
探究一个人
身体的危机和奥秘

今夜，一个人
忍不住要敞开
终年紧闭的北窗；敞开
群山不再潜伏

她摸索着，南方的脊背
仿佛几千里的奔赴
只为了，制造一场
超标的援助

"时而炽热，时而
冰凉。"她同样猜不透
这岛屿般的身体
还能被灌入，多少的海水

（选自《中国诗歌》2018 年第 5 期）

作者简介

卓美辉，1965 年生，1980 年代中期开始诗歌写作，作品见于《诗歌月刊》《诗江南》《当代诗》等。现居福州马尾。

昌政作品

草　原

没有栏杆。没有
边框。也没有所谓的秋水让春心荡漾

静静的林子
一小片
孤峭。

天空一直蓝到那人的眸子深处
何其渺茫

一定有什么即将发生
风暴
急骤的马蹄
或者一声野狼的嗥叫

然而阳光一软
我就仰躺在花香里了，轻飘飘的

风啊，把衣解开吧
这里就是草原

（选自《诗刊》2007 年 6 月号上半月刊）

草 们

我在众草之上
以优雅的步态践踏花香
草们低伏，又跃起
似乎齐声唱：草还在，人已不在

草已起立
我却不能与之站在一起
俯下身去也不能
加入草们细小的狂欢舞会

站在草原
我高大却又孤单
自脚趾而上　一寸一寸荒凉

（选自《诗刊》2009 年 4 月号上半月刊）

想 起

想起
丢在河滩的芒鞋
心地荒凉，却也有一小片葡萄园

想起
店摊的鞋子

都曾怀想虚拟的脚

以及某类的地面和远方

就把步子放轻了

（选自《滇池》2013 年第 11 期）

作者简介

　　昌政，1963 年生，本名詹昌政，祖籍闽中尤溪。福建省作协会员。与友人创建《诗三明》诗歌论坛，主编《诗三明年度诗选》（五部）、《三明诗群》、《三明诗选》，著有《昌政说诗》《昌政诗选》。有诗获省级奖、入多种选本。

咏樱作品

一个人的独白

像农民渴望从地里掏出麦子
我渴望从身体掏出诗歌
用白昼、黑夜喂养
用身体的疼痛喂养的诗歌
它们曾经那么生动美艳

从春天到秋天
高大的冷杉试图用记忆
挽留一只鹰，它从未停止飞翔
长满芦苇的水边，阳光刺眼
一个奔跑的女孩优雅回头
她的忧郁有冬草的枯色

一场赤手空拳的对决，盛大而隆重
我只是惊讶，那藏在血肉下的
可耻的孤独，会在黑夜闪闪发光

（选自《海峡诗人》2018 年春季号）

我们终将下落不明

像我们漂浮在世界的流水之中

像一片脱离树的叶
一只丢失翅膀的蝶

漂浮，带着跌落的晕眩
一些光浮现，又消失
我需要一个抓手，有人却递来一朵玫瑰

不真实的幻觉，席卷肉身
散落的坟茔在暮色中沉默
在流水的尽头，我们终将下落不明

（选自《海峡诗人》2018 年春季号）

作者简介

咏樱，本名黄勇英，福建邵武人，1989 年毕业于福建师范大学中文系，福建省作协会员，诗意神州平台主编，已出版散文集《带爱上路》。

岸子作品

我说那个女孩

光肩膀的民工

远远地看着那个女孩

走过路旁的花一朵一朵地被踩

手中拿着修路的工具

他们一个样地经过那个女孩

一个也没被她理睬

她站在那个地方

一个提着公文包

肚子便便的男子朝她方向走来

女孩的裙子开始摇摆

其实　那个男子很实在

他的工作在那个女孩的后背

公司名叫"优诗卖"

我看得她有点不自在

我感到她的可爱

她自己都知道是个美美

这个城市让人生活就有好歹

我说那个女孩

（选自《文学港》2008 年第 3 期）

一个苹果在桌上

一个苹果在桌上

外皮和内核一样的安静

如果它不是置放在暗处

它的轮廓清晰　明亮

我看过

兄弟姐妹的刀伸向它的身体

然后　贪婪着咬着鲜嫩的肉

几天过去后　如果那只苹果还是在桌上

大片时间压了过来

它开始从内心走出来

我要问自己是谁没教懂我

那只苹果满身的皱纹和被抽去的水分

（选自《文学港》2008 年第 3 期）

作者简介

　　岸子，本名刘正智，1963 年生，籍贯莆田，现居厦门。诗歌作品在省内外各报刊发表，有《诗画同框》《沿岸潮声》等书画诗集。

罗唐生作品

风 动 石

一曲忧郁的笛声，迎着我
让我成为大海的漂泊者
一顷瞬息万变的海涛
推着我
逼我成为
大海的盗墓者

没有海浪能阻止我
没有海风能将我隐遁

在寂静的黄昏
静静的海水涌动在我的内心
让我耐心等待夜色拉开大海的帷幕
在冷寂的星空下
为大海为自己
独舞

呵风动石，漂泊万年
终于让我成为大海的失踪者

（选自《福建文学》2009 年第 2 期）

午夜臆想

用箫声测着夜空的深浅

虎在西山踩碎了月色的影子

颤栗着天空的虚无

猴子茫然地吊着悬崖的厚度

虎啸声声，是火焰在闪烁

灭绝一头牛的暗影

毁了农家一年的生活

月色如银的午夜。我臆想

水银的镜子

一直跨过一个世纪

照见了那头土拨鼠

——窥探的目光

从此，吹箫人躲在磐石般

虚拟的阴霾里

夜夜愧疚

满脸的疲惫映照出

群山的空无

（选自《福建文学》2013 年第 7 期）

作者简介

罗唐生，1962 年生，福建省作协会员，诗作刊于《星星诗刊》《福建文学》等。

念琪作品

日出海面

惊讶于我的孩子
早早醒来，等候天光乍现
海滩寂静得可怕，海浪也闷声不响地轻轻涌动

乌云缄默，企图掩盖天亮的事实
分针、秒针在移动。公鸡叫声忽隐忽近
鸡蛋孵出时，拼尽全力，涨得满脸通红
火烧着了天边

船、渔排、礁石站成剪影
此刻，闪亮登场，水面上尽是你的光影魅力
孩子，天一亮，你就用金色的画笔涂抹石头和我们金黄
的脸
这一整天，都把天下交给你吧，随你涂鸦

（选自《诗歌月刊》2016 年第 8 期）

傍晚颂辞

凝神于某一次日落
翻身按下浮起的瓢
树木上黄金泛滥成灾

掠过末梢神经鼓起的蜡烛

石头是山的主人
纷纷攘攘在唱歌
一场人生的派对
纵观启幕与落幕的对话

引发讨论，勾起回忆
风化石上坐满古人
松柏枯荣的传承
印证时间分秒的旋转

（选自《星星》诗刊 2018 年第 12 期）

作者简介

念琪，1968 年生，福清人，已出版《芷叶集》《守望吉岚》等。

周鱼作品

感官世界

因为一位陌生的少年，我又回到
感官的世界里
我们搭同一辆巴士，他坐在我前座
穿一身竖领运动衣，却像是活力在裹着
与自身相同又相反之物。侧脸的
眼睫毛长而浓密，它造出阴影
我们只有过一次短暂的
目光相接。像星与星交汇的不可能
同在终点站下车，我们一前一后
他抽起烟，深蓝挎包沉甸甸
想要把向前走的他拖住。在细雨降落的
大街上，他贡献这含蓄的感官艺术

我熟悉的青春，我逗留过很久的那片海岸
我曾沉沦于它，现在依然
为之迷恋。海水从不可能彻底退潮
我所熟知的一种宝贵品格就在
那条蓝白相间的远去的海岸，在
大街上可能突然再现的
生涩的表征里，偷偷地生长

当我拐进小区弄堂，最后一次回头

目光穿过一排树荫不再看见

他的身影。他是否会想到

一个陌生女人想要为他保存下

一副少年的形象，担心有一天他很可能

为它感到愤怒，出于打造它的意图

而完全毁了它

（选自《诗刊》2016 年 3 月号下半月刊）

有的人注定的生活

她给那盏沾满灰尘的藤灯插上电源，它的光透过

藤编的空格铺洒在桌上，书本上，花瓶上，墙上与地上

她瞬间明白她的生活注定就是这个样子：这像酒一般的光线

鱼鳞一般的光线，这音乐的形式。头几年

她希冀在一些男人的眼睛里看见这种

比现实更真的流曳，她几乎就会把自己最好的

全都献上，可是她所遇见的梦

都容易醒，但这不更改她对命运的跟随

就在这一刻，她无比确定所有的荒凉都为了向着

一盏藤灯凝聚，她依然可以看见它，依然只需要

照彻那一小片范围，即使不是燃在任何人的目光里

她依然可以向它的灯芯扔进自己。

（选自《扬子江诗刊》2018 年第 6 期）

女西西弗斯

白色的玫瑰们是前几日采购的，在这个早上
空无一人的餐厅桌面上，她们稍显疲倦
无所事事的女服务生开始觉得奇异的事情发生了
所有的桌椅正在等待着什么，随之一股冲动
跑进了她的身体，让她想要去找什么
然后她幽灵一样在桌子和桌子之间行走
这一排与这一排之间，那一排与那一排之间
最后她明白她要找的只是这寻找的动作，这种行走
由她切开空气，然后空气完好无损

（选自《扬子江诗刊》2018 年第 6 期）

作者简介

周鱼，女，1986 年生。祖籍福建。喜欢写作、摄影。诗作散见于《中国诗歌》《扬子江诗刊》《江南诗》等刊物。曾获第四届奔腾诗歌奖。

周宗飞作品

我穷尽一生在跟你挥别

很多年了，以为你真的走了
然而，只要我一转身
就会发现，你依旧在老家的村口
挥着手，让我快点离去

我终于知道了，父亲
即使我穷尽一生的路程和光阴
跟你挥别，你依旧会在老家的村口
挥着手，让我快点离去

（选自《诗刊》2015 年 4 月号上半月刊）

溪滩上的水仙

这一刻，不是溪风凛冽
是因为她的坚强、乐观
让我禁不住颤抖，筛出
内心的猥琐与弱小

她是被遗弃的，凌乱而孤独
斜躺的水晶球，一半已腐烂
另一半伤残在水里

烂泥一般的底部

却伸出无数纤细的根须

想死死抓住

水边的泥土和濡湿的沙砾

只为了

为了能在萧瑟的冬天

怒放一束洁白

保持一身葱绿

（选自《诗选刊》2015 年第 11 期）

作者简介

周宗飞，1966 年生于福鼎。曾在《人民日报》《诗刊》等发表诗歌、散文、评论，并收入一些选本。福建省作协会员、福建省文艺评论家协会会员。

郑泽鸿作品

洱海，我的空谷幽兰

云朵在苍山休憩

轮船卷起浪花

白黑黄相间

灌装心灵琥珀

白鹭飞过

将无限苍茫还给粼粼水波

交织在山下的白色屋群

静默聆听马达的呜呜

此刻

我把自己交给洱海

采几朵白云赠予苍山

极目无限幽蓝

（选自《诗刊》2018 年 10 月号上半月刊）

赵家堡的宝刀

无情的雨落下来

砸在漳州赵家堡的瓮城

白鹅群情激昂

迈过小小的汴州桥，它们的阵势

让我想起城门头躺下的大刀

想当年，它也威风八面
与王爷一同出生入死
如今它的雄心已生锈
只有刀口依然向着北方
狰狞着，盼能梦见金戈铁马的草原

（选自《星星》诗刊 2018 年 12 月上旬刊）

作者简介

郑泽鸿，1988 年生，福建惠安人，现居福州，供职于福建省文联。作品散见于《诗刊》《星星》《福建文学》等报刊，入选《青年诗歌年鉴》等选本，著有诗集《源自苍茫》，系福建省作家协会会员。

荆溪作品

畏　惧

哭泣的鱼群

围绕光的缝隙运动

多余的湘水被紧密的鳞甲

挡在身体外边

那少女的微笑

撞疼了我的眼睛。贝壳们

具体的幸福能否立足于浪尖上

她赤裸的脚迅速踢走了

正午的海洋

茂盛的海水不断地失去

珍珠。她精心挑选的玳瑁戒指

杖送给郁闷的鱼肠

另一枚还套在

波浪的无名指上

那道寻觅的光沿着黎明滑坡

渐渐覆盖了涛声

是的，她又一次面对着大海

成为女性

她是一座巨大的坟墓

（选自《诗刊》2004 年 3 月号下半月刊）

从波浪上抵达

从波浪上抵达
那些蛇
那些悬崖的黑键
奏响

古老的云彩
黎明多开了一扇门

西洋红飞笔留白
站在谁的码头
浪花儿
顺风卸下

她们肩上的波浪
水姻缘如此庞杂

或者是
十吨词
背靠着蔚蓝
有限的悲欢

如此难猜
同时运走了大海

（选自《福建文学》2006 年第 10 期）

隐 居 者

向西——金色的海洋

大部分时间它是明亮、蔚蓝

的一只鲲鹏，把翅膀悬垂着晾晒

沙滩上面蓝色的脚印，徐徐洄旋

倾斜。一些贝壳如洁白的蚂蚁

正不断攀向缓慢的沙丘

草坡　桥洞　篱笆　栗树

和正午的窗台。一篇白色的文言一个

聱牙的句子一些小篆带着毛边一粒尘

以及略高于海面十米的欢喜——

一座具体的城堡

正缓慢地向我递进。实际上

我的青苔的屋檐开阔，上面的风

总是绿的——携带着蜜蜂或琼浆

朝着四面打开的花房赶集

雨天也把好心情来放纵

门前有滚滚车轮疾疾马蹄

地窖中一只亲爱的老虎则安于秋天

的睡眠——白昼的岸堤倾斜着

一个转身就会撞上太阳

那光明的黄昏抖动的　我的琴弦

（选自《福建文学》2008 年第 7 期）

作者简介

荆溪，女，本名林晓锋，中国诗歌学会会员、福建省作协会员。1973 年生于福建闽侯。现居福州。著有诗集《理解一滴水》《出神》等。诗歌作品入选多种选本。

胡碧福作品

破产后的糖厂

破产后的糖厂，甜蜜的事业变得苦涩
人去楼空，整个宿舍区显得狼藉
鸡栅破旧，晾衣绳空空荡荡
游手好闲的表哥仍旧待业，表姐远嫁
她的闺房最终成为一个书生的宿舍——
一家糖厂的破落，成全了一个书生的避居和阅读

破产后的糖厂显得破落
还是破落的糖厂终于破产
这也许是一个值得深思的问题
但是，今晚，在破产后的糖厂散步
我感动于那荒凉和沉寂

荒凉、广阔，正适宜远离和沉思
但是，在一个工厂的废墟上
我思索哪些问题
相对于一个工厂，一个书生的思考
是否显得无力
假如生产继续，上班、下班
生活还是原来的样子
一个工厂，是否还能够接纳
一个书生不合时宜的追问和质疑

荒凉，回到荒凉

今晚的散步让我感觉到一点

清晰的寒意

黑夜降临疲惫的工厂

孤立的电线杆斜进暮色

青草没膝，月光移过破旧的院墙

墙角的阴影中，籁虫在瓦砾和露水中低吟

——唉，是一个工厂的破落

成全了一只蟋蟀的清唱？

（选自《诗刊》1999 年第 1 期）

望 星 空

写作至深夜

有点疲倦，也有些释怀

踱步至窗前

眺望黑不见底的深渊

夜空浩邈，寒星点点

这些永恒的不眠者

有着安于天命的茫然

据说，一颗星星

对应人间一个灵魂

是否，我卑微的灵魂

也有对应的一颗

在荒凉无边的夜空孤悬

多少生死无依的世相

隐在茫茫夜空后面

从不发出光

从不被看见⋯⋯

（选自《扬子江诗刊》2018 年第 6 期）

作者简介

胡碧福，1968 年生，诏安人。福建作协会员，在《扬子江诗刊》《福建文学》等刊物发表作品若干。

胡翠南作品

我不再害怕孤单

我喜欢寂静中的寂静
黑暗中的黑暗
我喜欢如洗的天空
地上有多少念想
天上就会有多少颗星子闪耀
我喜欢只有一个月亮
那是我父亲提着灯笼走在天堂

我眼里的黑暗是一朵小花
依赖于古老的月光
需要渡过一条人间的河流
多像我啊
此时坐在短暂的人世上
我见过寂静的容颜在变幻
一会儿是父亲
一会儿是菩萨

（选自《诗刊》2015 年 10 月号下半月刊）

云雨总是恰到好处

山上有足够多的柴禾

足够多的茅草

山窝窝里也有足够多的泉眼

流出细细亮亮的泉水

四季分明的田地里总是油光闪亮

牛羊生下足够多的小仔在四处撒野

谷仓装满粮食，水缸盛满水

云雨总是恰到好处

足够多的人出生，足够多的人死去

天上有多少雷鸣就配有多少闪电

地上有足够多的背井离乡

就有足够多的冷漠和荒凉

（选自《诗刊》2015 年 10 月号下半月刊）

我已白发苍苍

我开始对陈旧的事物着迷

比如一条短腿木凳

一张跛脚的洗脸架

一尊年年上漆的棺材，显然

它们都已疲惫，不再记起斧斫冰冷，刨花如下雪般飞旋

我爱它们灰色沉郁的眉眼

甚于爱它们身体里的回响

这让我相信，它们从未一死

只对世间保有深浅不一的疑问

日落又算什么呢

它陨落的速度一丝不苟

无非最后，朝向虚空缓慢一掷

而我也已白发苍苍

再不能随意流出眼泪

（选自《诗刊》2015 年 10 月号下半月刊）

作者简介

胡翠南，曾用笔名南方、南方狐。作品散见于《人民文学》《诗刊》《诗歌月刊》《星星》等，出版诗集《重蹈覆辙》、诗合集《客家五人诗选》等。曾获张坚诗歌奖暨年度诗人奖。福建省作家协会会员。现居厦门。

南夫作品

梯田之美

梯田将水和农业提升到大自然的最高处

云里雾里

使月亮能在夜里更清楚地听见蛙鸣声

青蛙穿着祖先的皮衣，在梯田上高谈阔论

我母亲弓着背，像一个问号，从田头标到田尾

在山下的茅屋中，一盏灯高于星星的闪烁

暗淡的光，从不和耀眼的阳光交织

只在夜里，照见高处的梯田

梯田由上到下，田埂在弧形的运动中记录

先民的足迹，一顶斗笠，一件棕衣

一头水牛，反刍着干草

它从来不知道自己是头牛，只和祖先们一起

一年又一年把一座山连着一座山

雕琢成梯田

我在一粒谷子的纹理上看见父亲脸上的皱纹

有梯田之美

他在斜阳下喝茶，表情很得意

（选自《福建日报》2018 年 8 月 1 日）

石头之美

石头在山上，在海里，在心中

心中一块放下的石头，浮出时光的水面
石头通过时间的分解闪耀古典文学的光
只有石头才能记载我五千年文明的血
我站在山峰上，感觉脚下石头的呼吸
在无边的大地，满眼看到的都是石头的身影
故宫博物院的石头，农舍的石头
水井里泛着青苔的石头，河道上滚动的石头
它们都有着无可替代的自然之美
当我的父亲在一块石头上刻下祖先的名讳
这块石头就成为一块碑石
成为一尊雕像，伫立在广场，或郊野
成为我父亲一生工艺的荣耀
这块伟大的石头成就了艺术之美
当我趿拉着拖鞋走在春天的路上
怀着一颗见过世面的心，踩过一块块石头
我听见石头发出细小的音乐般婉转的呻吟
当我回到家乡，站在海堤上遥望太平洋
耳畔响彻大海的咆哮，汹涌的海浪
拍打在礁石的脸上发出雷鸣般的掌声
在内心就能感受到石头的沉默之美
在我的家乡，一眼望去，都是石头房子
它呈现着城堡之美
当我背着行囊，去探寻未知的旅程
一列绿皮火车，飞驰在无数石子的光芒之上

（选自《石帆·7》，海峡文艺出版社 2018 年版）

作者简介

南夫，本名陈金攀，1958 年生，莆田人。已出版诗集《也到枫桥》《出汀塘村记》等。

柯秀贤作品

偶发性思考

早晨，与一只老鼠

在厨房狭路相逢

贼心虚，要溜，恨不得丢下皮囊

我如此镇定是因为知道它

已中了食物的招数

我接水、淘米，准备粮饷

老鼠继续在黏鼠板上挣扎

我忙我的，它死它的

忙和死，看起来各自为政

合乎异质世界同时生发的规律

但为什么我感觉到空气中

有个抒情者在发问

怎样使老鼠免于陷阱

而它一直这样禁不住诱惑

（选自《诗刊》2016 年 5 月号上半月刊）

打 水 漂

把石头扔向天空

就算冒犯也不能改变什么

更不足以向白云打探去往天堂的路

好吧，得承认

这是一个突发奇想

我想看看石头能不能

长出翅膀，它能飞多高飞多远

能在空中停留多久，甚至

也不掩饰，那块石头就是我自己

在风中，我明显感觉到

石头在翻转，和空气摩擦

等同于我在地上行走，磕碰

事实上，我从未向天空扔过石头

有的也只是往河里，打几个漂亮的水漂

（选自《诗潮》2018 年第 5 期）

作者简介

　　柯秀贤，1969 年生，泉州丰泽人，诗作发表于《诗刊》《绿风》《星星》《诗潮》《诗选刊》《绿洲》《福建文学》《台港文学选刊》等刊物。

威格作品

童　话

蚂蚁突然举起了刀

砍断了大象的四条腿

蚂蚁顺着刀刃

爬上大象的脑门

写下"胜者为王"

然后

坐在"王"字上头喘息

此时

一队雁阵飞过事故现场

"稍息　立正　向前看齐"

而

大象的鼻子发出壁虎般的冷笑

"如此童话　仅此而已"

（选自《文学巷》2008 年第 3 期）

惯　性

看着烟慢慢把

自己烧掉

看着鱼

慢慢被烹饪

一朵花迅速开放

然后

慢慢枯萎

她觉得这一切都太快了

慢慢地

加紧了适应的速度

（选自《文学港》2008 年第 3 期）

作者简介

威格，男。1958 年生于福建厦门。已出版诗集《致敬之诗——泉；4'33"；Trio A》等。
另有《2009·威格诗想实验展》《诗时史事》《花·时间·空间·及物动词》等作品。

施勇猛作品

鱼的城

1

水活在鱼的中间

在鱼眼里

水看见自己游过了鱼

鱼照着水的路

水跟着鱼走

水游荡在鱼的周围

像一个陌生的过客

藏起自己

水清澈见底

我们也看见了鱼

2

鱼死，水也死

水活在鱼的中间

水和鱼在时光里互为镜子

要相互看得见

才相信有未来

要用快乐来嬉戏

才相信，心仍然在

鱼和水之间系着一根绳子

要像我们在古老的故事里挂起一串血珠

才不会走失

3

水在自己的梦里不愿是水

是一阵风和一朵用绳子拴住的云

水在没有水的梦里漂游

是一颗水珠和无数颗水珠般的哭泣

还存留着源头的香草味

还裹着泥土的一丝血丝

水在自己的梦里活下来

活着

却看不见自己

4

轮到我们在自己的梦里活下来

剩余的生死

比我们活着的世界还要干脆

整个城市游过我们身边

这座城市游经我们身边

看不见源头

触不到因果

找不了轮回

5

这座城市在流淌中失去了记忆

失去了时间

失去了颜色

失去了我们

整个城市流过我们身边

我们所能感知的一切冷暖

是一个陌生的词

我们像被抹去的痕迹

注定自己只能是自己的漩涡

6

水活在鱼的中间

一生只为干涸一次

一生只为妩媚一次

水游过鱼的身边

水的漩涡是水一生的一次回头

看见鱼刻在记忆里

鱼活一生的地方

是水唯一的伤

7

鱼活在水的梦中

鱼是水的梦中唯一会动的颜色

鱼的一生只是水贴在墙上的一幅画

只有眼泪才能看见生死

在鱼眼里

丰盈的水和干涸的水

都是飘荡的旧时光

水活着只有一次
听见鱼在它梦里说话

8

轮到我们在剩余的日子里
活下来
成为记忆的尘埃
整个城市游过我们身边
一层层细细切薄我们
像风那样飘浮坠落
像风那样活着
却仍然看不见自己

9

流淌的城市浑浊的时光
记忆蚕食另一次记忆
美丽埋葬另一种美丽
城市已经无情
我们只是颗粒
不可知的未来才是未来
流淌的城市薄如刀刃
看不见的心

（选自《福建文学》2014 年第 5 期）

作者简介

施勇猛，1969 年生。福建省作家协会会员。曾获福建省优秀文学作品奖暨陈明玉文学奖。

哈雷作品

零点过后

这个瘦长的夜晚
我把手臂搭在肩上
这时才想起那上面还有一张脸
白天它朝向牲口的大街
我兀自甩动的手从来不理会
面上的表情
我们只是连在一起的两个
不同的肢体

而现在，零点过后
它可以低下头来和我交谈
可以支起眼神
放出光芒把夜色逼退
它说出这辈子最慌乱的话
——刻苦爱我
而我却像一个偷窥者
发现裸露出的谎言

（选自《福建文学》2008 年第 12 期）

搬　动

我搬得动一块巨石
却搬不动一个词
如托举不住的夕阳
在黄昏到来时
沉入湖底

但我会赞叹一声
让我吐出豪情
殷红一片天
壮美一道山梁

岁月无息地远去了
我也老了
在又荒又长的芦苇深处
八月　竟然有点孤单
我搬得动自己
却搬不动跟随的影子

而我走在秋色之前
跟每一片叶诉说
比风更远　比诗句
更为苍茫

（选自《天津诗人》2015 年第 3 期）

海边拾荒者

正午阳光下
游人大都躲进咖啡屋
这时正是巴克朗海滩上的拾荒者
一个人的节日
空瓶子、罐头盒和一次性充气浮筏……
他认真地铺在沙滩上
仿佛摊开一件件心爱的礼物

这是幽暗的地球上最明亮的时刻
连黝黑的背都发着光
把一切收拾干净后，他走向海
久久地望着远方

远方有什么？仿佛听到洛尔迦在唱：

在远方
大海笑盈盈
浪是牙齿
天是嘴唇

（选自《福建日报》2019 年 5 月 7 日）

努盖特角的灯塔

它是南岛最明亮的事物

也是这个国土上最长情的注目者

它以云雀的高度，冲开被风扯破的云

让风暴停息。当帆船驶出秋天的地平线

人们平稳生活着，并不知道

我们的欢乐与痛苦，一直由它照耀

尽管死亡不会漏过任何一个人

自由却是活着的真谛

它在蓝色的天空和大海之间

建立起光的教堂，多么伟大的创举

而自己却像一个清教徒，在荒凉的岩石上

直着身子，看帆影逆风而动

它觉得这是最美的时刻——

在最靠近神的地方，太阳在礁石的背后

将云霞撒向天空

（选自《福建文学》2019 年第 6 期）

作者简介

　　哈雷，本名蒋庆丰，1958 年生，原籍莆田。中国作家协会会员，福建省文联委员。1980 年代创办"闽东青年诗歌协会"并任会长、民刊《三角帆》主编。2012 年创办《海峡诗人》杂志。已出版诗集《零点过后》《白色情绪》《诗歌哈雷》《花蕊的光亮》等。现为中文书刊网总编辑，编审。

秋水作品

橘 子

一粒橘子
站在白瓷盘里
仿若大雪中的一枚落日
不等待任何人
不畏惧垂涎的眼神
今日不想明日事
我以为它没心没肺
直到我，朝它腐烂的一角
一刀切去
一口鲜血
溅红了我的衣衫

（选自《滇池》2017 年第 5 期）

致——

一样的，我的心也长满春天
跃跃欲试的金黄，灿烂。绝望

谁曾看见初冬暖阳里
衣衫褴褛的红叶，瑟瑟发抖的坚强
谁就已经安慰了美——

这爱的刺青，恨的备忘录

我多想，唇齿间仍有丁香花般的
轻盈和无所畏惧，向身体的电闪雷鸣
致以心甘情愿的回应
向冒险和疯狂，立下无悔的战书
多想压顶的乌云，将消瘦而勉励的忐忑与悲伤
化为暴雨，冲垮隐忍的堤岸
尊严的索绳

今夜，感叹的汉字
又向我伸出手臂，荒芜而多情
这不是简单的摧毁，不是有限的沉重
亲爱的：孤独，加上另一个孤独
约等于幸福的哀鸣

（选自《草堂》2019 年第 1 期）

作者简介

　　秋水，女，"70 后"，无锡人，已出版诗集《有时只是瞬间》。作品入选多种诗歌选本。曾参加《诗刊》社第三十一届青春诗会、《诗歌风赏》第二届全国女子诗会。曾获福州市第二届茉莉花文艺奖。

鬼叔中作品

秋天颂辞

秋天，它舒服的绸布自天上垂挂下来

少年皇帝带领一帮随从，又不像是逃亡

绵延光净的山梁上，他们的影子还尤其显眼

秋天呵，可以看作一个俗人的两面

它明镜高悬，貌似盛情

送给人民丰收和枸杞

其实它阴暗的像戴防毒面具的庞大兵团

昨夜开始却偷袭了我们南方，从肉体到灵魂

还有谁再会单衣出门

小妇人提竹篮涌向寒露茶园

我看到天堂的扫地人，收集腐草化为萤

洒满大地的，沉闷的，无味的，秋天酒糟

秋天，好像疆土已沦陷，我们丧失良心和胃

时至如今，如何让你也相信呢

英雄和叛徒是易朽的

美人她向日葵般的容颜是易朽的

爱情的春天是易朽的

一九三一和一九六七也是易朽的

包括生殖、乳房、灾异、王朝以及三千佳丽

都是易朽的

秋天，公鸡打鸣听不见

秋天，七只木桶摆水边

（选自《中间代诗全集》，海峡文艺出版社 2004 年版）

河边那瓷瓶

少年不顾村庄
沿河越走越远啦
他没有逮住红鱼

初春的洪水
曾淹上草滩
使一截截断木碰落粗皮
光溜如汉子腰膀

沙堆后面
一闪一闪的是什么

他猛然站住
一支瓷瓶
雪白的瓷瓶
是谁扔过河岸的呢
是谁扔过河岸的呢
阳光这样松开
多么令人心焦
大人都去别处挖地了

树顶架着空窠

山窝仍被阴影霸占

蝴蝶翅膀黑森森

蝴蝶她在静肃地监视

蝴蝶眼孔特别大

少年没有作声

没有走向沙堆

无人之境

灌木疯长

天空已变得狭隘

他更害怕风景就要露出牙齿

他慌乱想起自家门头和土墙

拔腿便逃跑

踩翻了破篓

血呵在清澈的河里飘呀飘

狼狗涉水而去

猩红的舌头一抖一抖

(选自《中间代诗全集》，海峡文艺出版社 2004 年版)

作者简介

鬼叔中，本名甯元乖，1967 年生，福建宁化人，已出版《今生怎能不去西藏》《闽西风土影像志》等。

俞昌雄作品

面　具

是谁在暗中偷窥，当我看见虚假的身体被
分成两半。阳光把光芒都凝到了指间
没有人回头，在这座偌大的城市里
树木变矮了而空出来的手又是那么的长

找面具的人长着和我同样陌生的脸
他有假币、废弃的礼券和过期的贵宾卡
他憎恨秘密生活里的高脚杯和圣诞舞会
他遇见我时，我是孤单的，如橱窗上仍未刷新的广告标语

人里有人饿了有瘦人了有人闭上了
眼睛。飞雁从他们头顶掠过，白云卷起了
他们的身影，而我，我惊讶于熟人脸上的一颗黑痣
笑容浅而再浅，从这一个街口晃到下一个街口

整个世界是喧嚣的，逃离春天的彩蝶慢慢
死去。它褪尽色泽时露出了光滑的翅膀
它曾经路过这座城市，它低头时
看到的却是另一个我

（选自《诗刊》2005 年 9 月号上半月刊）

荒野里的灰鼠

荒野大过我，那里的灰鼠在草堆里觅食
我喜欢那样的时刻，我显得渺小
希望舒展身躯，在大河拱起的反光的背后
天空随时都可以压低，要亲切得很
只是那只灰鼠不知是否已经忘却惊人的
腐朽性，一切在它看来
包括那些曾经一起散步的兄弟，它们的彷徨
它们始终要与人类箍成一圈
用他们的地，偷他们的食粮，甚至
把子女都留在他们的窝里
可这儿是荒野，只有我，我的开放的视野
以及身上带着的被放纵的细胞
有些在闪烁，有些同样面临毁灭的危险
灰鼠不会知道这些
在落日背后，在那孤单的没有投影的安睡中
我很少惊动它们，偶尔想起
顶多位掌心画一棵草，丢几枚果
然后伸向荒野，等那光，光的彻底抚照
在我和它之间，在它和大地之间
在大地自身应有的怜悯里

（选自《诗刊》2010 年 6 月号下半月刊）

四月或暴雨

四月的最后一天，南方暴雨
九只鸽子困在空中，城市是巨大的
河床，每一颗心脏都是浮标
满城的杜果树如此摇晃
只有在闪电中，它们才互相指认
亲密如人群里奔跑的异形
浑浊的水流终于找到了我们
浑浊的水流让每个人都惊恐不安
浑浊的水流促使我们腐朽
四月的最后一天，我无比悲伤
我为暴雨写下澄明的诗，它却狂乱
无序，沉迷于人群中虚假的骨头

（选自《星星诗刊》2019 年第 1 期）

物 候 新

量子物理学看到两个杯子
一个是我正端起的茶缸，一个则是
量子微观世界内建构之中的圆形之水
我每喝下的一口，也一拆为二
两张嘴在迎接着
看窗外的水泥森林，它们在另一个世界
被紧张地解构着

被无形的大数据着

我知道我不是我，只是芯片占据着的

小小空间

水将成为固体，有金属的光泽

和转基因的诡异波纹

我被逻辑着，成为暗物质

不是需要被撞击

而是需要空置

所有侵入的病毒，都被重新编辑

仿佛丰富着人生

我抬起机械手，无人驾驶，涡轮机

自动熄火

没有季节，动物是我，植物也是我

不升不降的日月

疫苗被替换了

谢谢，除了愤怒，我还拥有了绝望

（选自《诗歌月刊》2019 年第 9 期）

作者简介

俞昌雄，1972 年生，福建霞浦人，作品散见于《诗刊》《十月》《新华文摘》《人民文学》等，入选《70 后诗选》《中国年度诗歌》等百余种选集，曾参加《诗刊》社第 26 届青春诗会。

胖荣作品

去九柏嵊

我和先良兄

先是说房贷，职称

和孩子的教育

行至一半，我们开始说李杜

还有旧时的明月

越往上，离山下的模样就越远

通向山顶的路

就是逆流而上的河

我们渐渐接近源头

开始谈论生死和无常

春天的九柏嵊，松树苍翠

落日圆满，照满山冈

（选自《诗歌月刊》2018 年 2 期）

老 祠 堂

房梁上布满了蜘蛛

瓦片上的光漏了下来

天井中长满的荒草

是案桌上，没有燃尽的香烛

我的祖先

是桌上的牌位

是青砖砌成的天井

是木质的老祠堂，向左，微微倾斜

祠堂的寂静

是鞭炮声

锣鼓唢呐声

和哭声笑声，消失在入暮的村庄

我像没有姓氏

你像没有父母

我们的来处和去处

成了一个个问题

（选自《星星诗刊》2018 年第 7 期）

作者简介

胖荣，原名陈玉荣，宁化人。著有诗集《请左手原谅右手》《微凉集》。获第三届"诗探索·中国诗歌发现奖"等奖项。

闽北阿秀作品

喜欢夜色

我们向上走，夜色将树林笼罩

将寂静笼罩，将我们笼罩

我们停下

道路随之停下

你说，星星在头顶上

我仰望，明亮的星星在天上

地上只有微弱的光

指引依稀可辨的方向

有时，远处的灯光射过来

像一把亮剑

刺破夜色

一束光，冲出夜色的包围

我们便会沉默

像在回忆

又像在思考

静止片刻，又继续向上

走进夜里，我们喜欢安宁而寂静的黑夜

喜欢黑得只有我们相依的夜色

（选自《福建文学》2016 年第 1 期）

小 黄 花

在露天，在大自然面前

面对弱小生命，我不能说谎话

真的不认识它们

这几朵小黄花

不知道它们叫什么名字

跟熟悉的朋友不同

我一开口，就能叫出他们的名字

无须思考，无须回忆。这几朵黄花

在斑驳的土墙上

胆怯地簇拥在一起

挤挤挨挨。如果能发光

我想把它们看作天上的小星星

再微弱，再渺小

也有自己的光芒，但它们不是星星

只是小黄花，摇曳在阳光里。夜晚就要降临了

我就要离开，它们也将淹没在黑暗里

（选自《福建文学》2016 年第 1 期）

作者简介

闽北阿秀，本名陈声平，男，福建建瓯人，中学高级教师，省作协会员。作品散见于《诗刊》《诗歌月刊》《诗选刊》《福建文学》《绿风诗刊》等。

顾北作品

中午去看望几块石头

我的石头都在生长
其实见面后还可以另一说
正在生长着的石头都那么迷人

它们都像我的兄弟姐妹
我——抚摸
比光阴粗糙，比黄金细腻

这是多么无意义
但，它们是有分量的
不比厌倦，那么轻浮

这个被中午的困顿毁掉的男人
又被石头的歌声
毁了一次

（选自《作品》2015 年第 23 期）

早睡手记

昨夜谁在窗外偷窥
说我的窗台是白炽明亮的一部分

他看见床头摆放着书籍

一杯温热的水

终世论者似睡非睡

他看见一道税收必须遵循

客观的轨迹

有相遇，就有独行后馨香的思考

他看见透明的水下

那些久久不愿离去的人群自由呼吸

我告诉他，夜黑请慢行

对繁华我厌倦极了

在我窒息之前

一个吻就将挽救

千万里江山

（选自《福建文学》2015 年第 2 期）

在暮色之城等待一架飞机

消息来自天宇……

起先一无所有，一种蓝

比忧郁更加忧郁的蓝

冻结了时间。后来

有了，像墨水在宣纸渐渐漾开

预示着离真相越来越近

仿佛一跺脚就能揪住

你。是的你愈发真实了，天空都

发出轰鸣……不是蓝，没有忧郁

那是一种重量即将降落

它带来天堂消息并很快就要前往
更远、更多人期待的旅途。

（选自《福建文学》2017 年第 7 期）

古 琴

时间从指间逃逸
腾起一团薄雾。月光与玫瑰
倏然消隐，一对侠侣背朝明亮的大地
仿佛不曾走远，一切都还在
仿佛谙哑是喧闹的回声
渐渐地，香气满屋
鸟鸣是透明的，流水也不禁叹息
偶尔点燃香烟的手像个孤独的爱神
骄傲地守着美的悬崖
古琴，像洗刷千年的旋律的尸骸
你一弹奏，她就活过来
附在手上，那一刻
人间空荡荡，只有记忆的雕花
被所有的忧伤亲吻

（选自《福建文学》2017 年第 7 期）

作者简介

　　顾北，2009 年提出倡议并与友人共同创立"反克诗群"。曾在《人民文学》《诗刊》等刊物发表诗作，出版诗集《纯银》《读狮记》等 5 部，作品入选多种诗歌选本，曾获福建省优秀文学作品奖、《诗选刊》优秀诗人奖。

倪伟李作品

明亮的忧伤

穿过金黄的油菜花

整个春天明亮了起来

一道从地底下抽出来的光明

照耀着陈旧的地名、道路和山野

大地回到谷仓

白色的云朵如一匹匹骏马

奔向远方。白天的海拔在长高

花的颜色在扩散，梳完妆的阳光

迅速拉起帷幕，一场盛大的舞会

从水的仪式中走出。那么多的草本植物

望见爱情的朝露，而梦早已

被寄往遥远的东方

春光明媚，那是一个叫风的姑娘

在旷野上踢踏，她的爱人念着书信上的泪迹

一封美丽的忧伤，薄如蝉翼

（选自《诗刊》2017 年 12 月号上半月刊）

凤 凰 花

在南方，风吹开了隐秘之事

也吹开了一棵树如少女般的情愫

一朵朵凤凰花在枝头列队

九月的桂冠下，它们像一只只美丽的鸟

在树上啼鸣。时间在它们的身上灌浆

饱满的花朵，布满了新生之意

这时的阳光，遗留与继承了夏天的霸气

它们的脸因此涨得更红

一条长长的街道上，只有这一棵凤凰木

在承接着去年的欢笑与悲伤

这些绚烂的花儿，曾顶住台风、雨水

这片红，像是吸食了人间的烟火气

像是被神灵赋予了灵性与生命

像是读懂了人间的疾苦

它们拒绝了秋天的密令，仍开得如此耀眼

它们稳稳当当地驻扎在这里

对这座城市的蓝天、白云，喜爱不已

它们是一盏盏微小的华灯

它们像凤凰一样飞翔，它们自信的样子

像极了青春

它们活在我的心里，也活在我的梦中

（选自《诗刊》2018 年 6 月号上半月刊）

作者简介

倪伟李，1984 年生，福建莆田人，已出版诗集《绿了青春的伤疤》《石头的婚礼》《水色的光芒》《纸上的硝烟》《红尘的烟火》《光芒的降临》《尘世的光明》等 7 部，主编《福建诗歌精选》《中国朦胧诗》。

徐小泓作品

蝉　冢

夏日里的最后一声蝉鸣
被埋下
日脚就走到了偏西方向
工人开始种植
和这个季节格格不入的
行道树
看，一个个土坑
最终是会填满土的

月亮升起
也是最后一首挽歌
清亮、透白、孤寂
一首无法谱曲的
挽歌

玄关处，风从弄堂来
一只蟋蟀，抚了抚触须
秋天
就到了

我知道
没有一只鸣蝉，可以等到

秋天

（选自《厦门文学》2018 年第 3 期）

春 天 里

往北走向南
旧日子，旧天气
散落一地的春风十里

阿嬷住过的大厝
捣衣的棍子
静静地倚在天井边
静静地回忆，白色旧布棉衣
麻苎里的香气

燕子南归，啄开一声呢喃
田地菜花金黄
南风天湿暖
挽着袖子的初春
从笑脸边的酒窝漾开

土地是香的
潮气四处游散，暖暖
又暖暖
闭着眼吧，这个季节

只适合嗅觉与春风的迷藏

这个春天
香得泛黄，香得看见
阿嬷衣襟别着的栀子花
说：
"春天，返回阮身边。"

（选自《泉州文学》2019 年第 3 期）

作者简介

徐小泓，1978 年生，福建东山人，已出版诗集《草梅之语》《后来》等。

徐南鹏作品

落 花 记

一瓣桃花，从花萼端折断
不知是雨打的缘故，还是风吹的缘故

即将断开的时候，又停留片刻
似牵扯，似不甘
同时，桃枝抖了一下，伤离别

一瓣桃花，开始下落
还留着一点体温，留着唇边一抹红
花瓣落在地上，微微弹起，又落下
内心的爱怜，像玻璃碴，铺了一地

最终，和许多许多花瓣，躺在一起

但，并没有结束——

风，把花瓣吹着走
身子一会翻过来，一会覆过去

剑 记

时间始于火。命也是。

似乎只有一条道路，或者根本就是无声

就是黑暗、沉睡。如此执着。

几乎听不见，一个人对它的吟唱、呼唤和怒吼

谈心也是不管用呵！一颗冷到极点的心。

一幅淡漠的脸色，在夜里，指给自己看。

江湖远，湖水深。命的色再不愿意闪亮。

孤傲高于海拔，无人领会。

独倚黄昏，让风任意吹凉骨头。

让大山在不安中微微摇晃。

而剑依然故我，依然纹丝不动。

像早已脱离消耗、对抗和饥饿

早已满足于晨霜和铁衣

预想的生，是绝望之一景：

一线血光，然后熄灭。

（以上二首选自《诗刊》2016 年 7 月号上半月刊）

作者简介

徐南鹏，1970 年生，福建德化人，已出版诗集《城市桃花》《大地明亮》《星无界》《我看见》《大鱼》《另外的一天》等。创有微信公众号"南鹏抄诗"。曾参加诗刊社第二十届青春诗会。现居北京。

徐德金作品

影　子

我从众生中找到藏匿的影子
它被日光钉在墙上
月光放它到水里
灯光下它仆倒床上
目光是它最丑陋的发现

影子是我丢失的附件
怕光也怕夜
影子是我身上脱下的外衣
比我浪漫，但比我孤单
影子时常找不到回家的路
有时候它忘了自己
藏匿的方向

我不轻易
去踩影子的哪个部位
我盯着影子，思考它喋血的现场

时　间

可能是木棉，
可能是杧果，

时间用这种方式
挂着。

这不是一杯酒的距离。
高楼的拐弯处，还有拐弯
红灯、斑马线以及其他
都欲言又止。

时间可以另一种方式存在，
比如流水，
从悬崖、从上游
落下。

或者黄昏以后，
群山寂静；
有几座旅舍、茅店，
伫立在时间外面……

（选自诗集《宽阔的河流》，海峡文艺出版社 2019 年版）

作者简介

徐德金，1963 年生，福建闽侯人。1985 年毕业于厦门大学中文系，曾任厦大采贝诗社社长。出版诗集《宽阔的河流》（海峡文艺出版社），作品在《诗刊》《诗生活》等刊载。现任中新社福建分社社长、高级记者。

高盖作品

红 灯

我吃进一个红灯

所以，没有人在我的喉咙里横穿

我听得见他们等待的声音

斑马侧卧于侧

像一只猫守在我肩膀的天台

有人低头

扭曲胸膛的脊线

有人四顾

语言和文字还在视线之内

而红灯还在我的喉咙

看不见谁来缓解

这一些不知趣的拥堵

（选自《诗歌月刊》2013 年第 2 期）

第十八页

少女的眼神

微笑地打开第十八页

这是一片崭新的土地

十二月的花香

临摹未来芬芳的样子

河流缓缓走向大海

驾船的女孩歌声悠扬

她手中握有灯塔

她手中持有罗盘

于是时光随她激荡

我们目送着你远航　亲爱的少女

请允许我再一次说出你的小名

因为这是我储藏年华的秘密

亲爱的少女

河流的源头便是你的家园

这里花开的声音依然清脆

一如你明亮的笑声

如果你转过身来

思念便又花开

亲爱的少女

我们见证　我们见证

你的眼神

微笑地打开第十八页

那是新世界的开始

（选自《人民文学》2014 年第 6 期）

作者简介

高盖，1968 年生，居于厦门，籍贯福建南安。福建省作家协会会员，鲁迅文学院福建中青年作家班学员。作品散见于《诗歌月刊》《人民文学》《福建文学》等。作品入选《厦门优秀文学作品选·诗歌卷》《百年厦门诗选》等。

高琴作品

沉默的爱

滥伐的木头
弃在杂乱的山岗上

彼此默默相视
交换怜爱的光芒

躺下的树杆笔直笔直
有两条纯正的心肠

躯体长出白木耳
爱的花朵迅速膨胀

狂风暴雨威胁着
心儿激动得发颤

近在咫尺，好似远隔天涯
一对恋人的坟场

白天黑夜不停轮换
倾吐不死精神、圣洁思想

哦，山洪早日爆发吧

把他们冲到一块，冲到一块

滚下深深的断崖
让他们的愿望在愤懑的江河泛滥

（选自《海峡》1997 年第 3 期）

怀　旧

镜子里呈现妈妈的面容
端坐在椅子上　右腿压着左腿
探究的眼神直视着前方
万籁俱静　只有光阴流去的声音
如同无数灵魂嘤嘤叫着奔跑

我曾是妈妈子宫里的一粒种子
落地　逐渐枝繁叶茂
小鸟在此做窝　风雨在此停歇
而后时间蚀空躯干　黄叶飘飘

妈妈的眉眼是我的眉眼
妈妈的白发是我的白发……
忽儿　镜子里的那只右脚一动
我一个激凛　跌回现实
秋日午后的阳光罩住蜷缩着的我

镜子后面也有一棵大树　在远方

我的五根手指忍不住直扑过去

只收回　一手湿漉漉的露珠

我知道　水珠最终会滴在一把旧椅上

（选自诗集《九曲之焰》，山东画报出版社 2017 年版）

作者简介

高琴，1953 年生，祖籍山西，福建省作家协会会员。出版爱情诗集《红蝴蝶》。曾在省级以上各类刊物发表作品 60 余万字，作品多次获得省级奖，入选多种选本。

高漳作品

相　遇

我们在街井相遇，都挂一对红纸灯笼
照亮蛀空的牙床。我们是彼此的病灶
拽着钥匙便忧郁失常

人们有多余想象力，想到美就磨牙
那些龋齿都安一对弹簧。你卡在我的喉咙
从午时动弹到午夜

陌生人照顾零乱乐器，我们瞄一眼侧身而过
幸福在半途弯曲。商贩从来不朗诵诗歌
却在街道绕来绕去

（选自《福建文学》2015 年第 4 期）

电　梯

他们真的很聪明，他们上行
不断看见新鲜的花朵。我乘电梯南下
感到越来越口干舌燥。我玩蜘蛛纸牌
可以返回上一步，尽量忽视记忆中的画面

的确我患了幽闭恐惧症。电梯门的关闭

就像花朵突然枯萎。之前他们都去哪里了
我总习惯敲坚硬的金属，声音跟着我落地
像出生未尽哭泣，一下子就坠到了中年

（选自《福建文学》2015 年第 4 期）

作者简介

　　高漳，1966 年生，福州人，现在永安市某机关工作。福建省作家协会会员，出版诗集
《自言自语》。

离开作品

雷声太大，我把它拧小些

一场大雨，败叶满地。我试着蒙起
春天的眼睛，不让她看见
春天堵了唯一的通道，积水不知所措
车过，雨水四溅。你要小心，它会弄脏
你的新衣裳，弄脏春天的表情

春天，风可以吹落一个下午
雨可以迎面扑来，带走
树上安静的一小片光阴

如果大雨不停，我就呆在屋里
如果雷声太大，我就会在夜里抱紧女儿
把雷声拧小些，再拧小些

（选自《诗刊》2010 年 4 月号下半月刊）

雪把雪落了下来

落在你离去十年后的小城

落在低垂的电线上，落在屋顶、青石板和旧墙边

落在鸟鸣里，落在稻草人身上

落在一张雪白的纸上

下雪后山的那头更加静寂

守墓人把雪关在屋外，碑上也有厚厚的一层雪了

仿佛你也雀跃不已，仿佛你也噙着泪花

你一声喊

树枝上的积雪扑簌簌又落了下来

（选自《星星》诗刊 2016 年 6 月上旬刊）

我们将成为鸟儿

星期天的早晨，像往常一样

有人赶着去教堂做礼拜

有人在画眉草前停了下来

你触摸它了，指间有淡淡的香气

飞过竹林的鸟，此刻要飞到田间去

它要找寻一点食物，在水边来回走动

偶尔发出三两声鸣啼。我没有惊扰到它

秋天的柿子熟了，采摘的人也还没来

飞过去啄食吧，再没有人驱赶

稻草人也耷拉着头，放不下举起的手

独自漫步在秋天。卸下缠身的俗事

之后，我们也将成为鸟儿

你往家的方向飞去，飞到屋顶

母亲在翻晒她的五味子和肉苁蓉

（选自《诗歌月刊》2018 年第 2 期）

作者简介

离开，本名黎俊，1974 年生，宁化县人。福建省作家协会会员。作品散见《诗刊》《星星》等刊物，获诗探索·中国诗歌发现奖提名奖、中国红高粱诗歌奖提名奖。已出版诗集《缠绕》《苹果已洗净放在桌上》。

唐宝洪作品

吻　剑

如果　如果
前世之缘
注定我今生为你涅槃
那就让我倒在你的剑下
让我在倒下时
虔诚地　吻着
你的宝剑
让我在吻剑时
用温热的血
培植
你我的来生缘

（选自《福建文学》2011 年第 9 期）

春天离你有多远

你
跋涉在茫茫无际的戈壁
跌落在深不见底的漩涡
徘徊于没有尽头没有光亮的隧道
遗弃到一棵病树行将枯折的枝丫
孤悬在摇摇欲坠的悬崖峭壁

安全与踏实

温暖与光明

憧憬与美景

早已形同陌路

决绝地离你而去

春天离你有多远

万里之遥

或者

近在咫尺

（选自《厦门文学》2015 年第 9 期）

作者简介

　　唐宝洪，男，1969 年生，福建上杭人，中国作协会员、国家二级作家、福建省作协全委会委员，现为闽西文学院副院长。诗作曾入选《中国年度优秀诗歌 2015 卷》《中国年度优秀诗歌 2018 卷》等选本。

唐朝白云作品

每一朵荷花里都坐着一个秋天

每一朵荷花里都坐着一个秋天
花葶、花托、花蕊，以及子房和莲蓬
拼装成我幅员辽阔的祖国
这个清晨，我和一只蜜蜂、一滴露珠
跌进一朵荷花的七情六欲、沧海桑田
那里明灭着汗水的火焰、泪水的光芒
不时上演风雨雷电与日月星辰谋划的
桩桩往事，那里堆积着
土地的内涵和生命的表情
还有人类和神灵共同的理想天堂
那里的日子比秋叶更轻，比秋水更长
当一缕晨光掀起碧荷的裙裾时
我的诗行随即换了一个韵脚

（选自《诗潮》2010 年第 10 期）

人到中年

其实人到中年
无非就是在某个午后
把一条大河喝成了一小杯老酒
也就是在返回故乡的一片向日葵中

把一双脚走成了剪开时间和空间的燕子

当然，无非就是看着一茬杜鹃花凋谢

通过一道彩虹，找到我们的影子

也就是在接二连三地打碎了一只奶瓶

一只玻璃杯和一只青花瓷之后

越来越喜欢上一只陶罐

（选自《福建文学》2018 年第 1 期）

作者简介

唐朝白云，本名孙世明，1964 年生，福建建宁人。已在《诗刊》《诗潮》《福建文学》《星星》《中国诗歌》《草堂》《绿风》《山东诗人》等发表诗歌 300 多首，出版诗集《半个月亮爬上来》《春秋滩溪》。

海约作品

在南普陀，一个长满青草的黄昏

总有一些悲伤，未能企及
目光。在南普陀
我看见了一个长满青草的黄昏
鸽群栖落在寺院的屋脊
一个小女孩展开双手
她就要飞起来了
她飞起来了。我抓拍下了
这些祥和的时光，我以为生活
就该这样美好
犹如不远处，那一池莲花
安静，和无邪。
我以为，细流高于城市所有楼房
钟声会在某个夜晚
突如其来。我真的以为
贩卖香火的僧人
不可企及，仿佛那些佛像
如此轻易就让我们
交出双膝

（选自《诗刊》2016 年 7 月号下半月刊）

雷雨如期而至

在鼓浪屿
一个乌云密布的下午
雷雨如期而至。我们却希望
树木能够
捉住一些影子。甚至
于尘嚣之上
在静寂中逆光而行
以至，在节节败退的海浪声中
仿佛听见一曲古琴音就像
六月未结的果
落入大地
然逆光而行的人
一直都在自己的影子里
寻找光
以及，闪电

（选自《诗刊》2016年7月号下半月刊）

作者简介

　　海约，本名彭志约，1982年生，厦门翔安人，有作品发表于《诗刊》《汉诗》《诗歌月刊》等刊物，并入选过多种选本。

涂映雪作品

寂寞的形状

窗外下着细雨
叩击着
今夜之寂寞

寂寞
是时光的河流经过心灵的淙淙声
是枫叶落地前在空中的独自旋舞
是摇曳在窗幔上斑驳的竹影
是半杯已经冷却的咖啡

伸手接着雨滴
冰凉
而从指缝间漏下的
就是寂寞的形状

（选自《诗刊》2014 年 6 月号下半月刊）

垂钓童年
——献给父亲

小时候

最喜欢和父亲去钓鱼

坐在父亲身后的影子里

听着故事

看鱼虾在岁月里闲游

父亲是山

挡着烈日和风雨

我看见出门时他肩上扛着那一轮月亮

落到水里

变成一轮红日

从河岸升起

连着父亲的鱼竿

闪着金色的光芒

那时的光阴很慢

在父亲红楼梦里

我一直没有走出大观园

踏着唐诗宋词的韵律

小白裙盛开成清新的荷

今天我又到河边

向前方抛一根渔线

钓一段有关父亲的记忆

钓着我金色的童年

（选自《福建文学》2016 年第 11 期）

作者简介

涂映雪，笔名冰梦，1968 年生，籍贯福州。中国诗歌学会会员，中华诗词学会会员，中国楹联学会会员，福建省楹联学会副会长，福建省作家协会会员。作品刊于《诗刊》《星星》《福建文学》等，出版诗集《冰之梦》。曾获中国诗歌春晚 2019 年度《十佳新锐诗人》奖。

浪行天下作品

一根虚拟的弦

一根虚拟的弦，它从声音中

获得热量，和节奏的感觉

侧耳细听

——弦上马嘶人唤

如果它睡去，分明是谁的发丝

窗帘飘扬，又是谁熟稔的手势

顺弦漂流，有否旧相识载酒以待

如果它醒来，紧张的耳鼓

能否听得见

松果敲地、树枝折断的声音

从来弦断不沾尘，梧桐上

雨声厮闹

——我写下的文字铮铮作响

一根虚拟的弦，弦上密密麻麻

布满码头和站台

听雨的人、抚琴的人、载酒的人

——次第走过

（选自《星星》诗刊 2005 年第 6 期）

霜 降

霜写下：冷。熟睡的人在梦中裹紧了被褥
霜写下：洁白。亡魂悄悄返回家园
它还曾写下：爱情。但很快，不到凌晨
就成了雾气

一定有什么是不露声色的
一定有人，五更头检索完一生心事

当我写到这里——秋天开始放慢它的脚步
当我再一次写下：霜降
所有的字，都在慢慢凝成霜花

一定有什么是不留痕迹的
一定有人，深夜里来过，凌晨又悄悄离开

（选自《星星》诗刊 2007 年第 2 期）

南音：锁寒窗

寒窗是一把锁。奢想遁逃的烛光
苦笑着，摇了摇小小的头颅

烛光是一把锁。灯下翻书的人
突然放下书卷，叹了口气

人是一把锁。曾经幸福的时光
在身旁，默默飞翔着……

时光不是锁。它是一把钥匙
月色般白净的身子，刺进——
那窗、那光、那人中

——"吧哒"一声
听得见，魂灵与骨肉分离的声音

（选自《中国诗人》2013 年第 1 期）

作者简介

　　浪行天下，原名陈志传，1971 年生，福建惠安人。福建省作家协会会员、惠安县作协主席。参加过全国第十二届散文诗笔会。诗作曾入选《中国诗歌年选》等多种选本。著有诗集《高处的秘密》《情海泅渡》。

黄文忠作品

无我茶会

携一副茶具

作一番悠游

从岩隙问的曲径

仄身而进

像走入一部古籍

前贤题刻

仅是题目

层岩叠嶂

读不尽有多少文字

没有逗点没有句号

粘着湿叶的鞋

是探险的船

由造出之境

航过有我之境

再去寻觅

无我之境

在该停下的地点停下

几块卵石垒个灶

烧一陶缸流香涧的水

泡一壶正宗岩茶

围坐着

泊住颠动的心

潇洒地筛

谦恭地接

一圈又一圈

一道又一道

细细品领个中的真韵

山兰无言

暗送幽香缕缕

好鸟嘤嘤

弹落水光点点

天地间太多纷杂

只这一刻沉淀

万象归于静澄

武夷即我

我即武夷……

（选自《福建文学》1994 年第 5 期）

威 尼 斯

被罗马大军通得

走授无路的成尼斯人

在遍是沼泽的孤岛上扎下根

木桩和石块，掺入汗与血

使地基似牙床一样坚忍

困苦中求生的威尼斯

魔术师似的造出海上仙境

在怒海中扬帆的成尼斯

如蝶群，八方飞逐花汛

精卫填海的神话

在这里是触目可见的现实

然而，这象征精神的巨构

却正在悄悄地下沉

今天，当我游弋在当梦般的水巷

眼前挥之不去的

是那泥泞中的夯影风灯……

（选自《福建文学》2006 年第 8 期）

作者简介

黄文忠，1947 年生，福建南平人。曾任福建省作协全委委员，南平市文联副主席、市作协主席。已出版诗集《山的足音》《万木林》。诗作曾获福建省优秀文学作品奖等。诗作入选多种选本。

黄莱笙作品

峦　佛

群山皆佛
尊尊打坐
裹一袭野林织就的绿袈裟
腆一肚浑圆鼓鼓的莽山坡
峰面上总露一弯岩崖有如笑窝

君若进山
莫忘先在山外的湖海沐浴更衣
然后沿山径走进经文
当身旁香飘众佛气息
便知大肚能容容天下难容之事

君若出山
莫忘牵一涧佛前圣水奔流红尘
净地何须扫空门不必关
看天涯海角鱼蚌相争
还当开口便笑笑世间可笑之人

长风习习
那是遍山诵经的梵音
一万座山峰便是一万尊佛形
群峦无边

众佛无边

（选自诗集《莱笙诗选》，海峡文艺出版社 2008 年版）

扑闪的疼痛

我已经移走了一座森林
却移不开这片叶子
眼睛一样扑闪扑闪的叶子
睫毛如锯齿拉扯着我的灵肉
我往东　眼皮横着叶面
我往西　眉前竖起叶背
我左右腾挪　它如影相随
扑闪得我只好双目紧闭

我已经拨开八年的浮云了
却散不走今年的雾气
胸内飞进了一窝迷失的鸟儿
啄得我血染梦土
我想用笑声平衡
张口却喷出一索荆棘
鲜花在身后憔悴成泥
芦苇在足前伏作苍凉
我只好顺着零乱的掌纹行走
却发现那只手掌来自雾外

我不喜欢这么窒息的华美

艳丽得全身虚脱

我一呼吸

山梁是疼　　峡谷是痛

我只能把自己藏起来

如同埋藏一粒枣核

等来年开春

就耸一芽声息

注释一季疼痛

（选自诗集《牧云村》，现代出版社 2018 年版）

作者简介

黄莱笙，1962 年生，福建省作家协会副主席，福建省文艺评论家协会副主席，获评"闽派诗歌百年百人"，出版个人专著 7 部，主编文丛著作约 80 部，约有 200 件以上作品获省级奖项和入选教材及重要选本。

黄锦萍作品

海　蕴

退潮时把生命的底蕴
渐渐地展示给恋海的女人
波涛渲染海的主题
浪花窃窃私语
向我暗示海男人的浮躁

涨潮时候
将昨日
恩怨情怀
全部推翻
只管以海的形式表示炽热
接受或不被接受都在情理之间
这回选在明媚的阳光下
和蓝天比心底的府蓝

我是在海男人期待温柔的日子
赤足站在你伸出的掌上
握住我的信赖时你充满信心
经验告诉你
恋情发作的女人
堡垒最容易推毁

接纳是一种荣耀

你的富足是因为
大多的机遇让你动情

（选自《福建文学》1994 年第 3 期）

飞

飞得多高才能与云朵亲密
飞到多远才可以放心歇息
飞到多低人与自然才能融为一体
海鸥啊

你的背景
蔚蓝得让多少人着迷
海边的楼群
无言地退到了角落里
世界简单得只剩下了天空
天空省略得只留下翅膀

人类在铺天盖地的飞翔中
什么忙也帮不上
海鸥啊

（选自《福建文学》2011 年第 4 期）

作者简介

黄锦萍，女，1957 年生，福建省歌舞剧院国家一级编剧。福建省作家协会全委会委员，中国音乐家协会会员，中国音乐文学学会会员，福建省音乐文学学会副会长。已出版诗集《橘黄色小伞》《女人与海》《寻找精神故乡》。

黄静芬作品

自己抱紧自己

自己抱紧自己
给自己一点点
一击即溃的美好

时间如钝刀
一寸一寸切割
我的无聊

我的无聊仅仅在于
从来不奢望拥有
整座花园的奇妙

即使这座花园绿肥红瘦
即使这座花园巧笑倩兮
即使这座花园花容月貌

我的无聊仅仅在于
默想窗外能飞过一只
惊弓之鸟

即使这只鸟折了羽翅
即使这只鸟盲了眼眸

即使这只鸟哑了曲调

自己抱紧自己
给自己一点点
一击即溃的依靠

让浅笑的自己
在肆无忌惮的黑里
瞬间苍老

（选自《厦门文学》2012 年第 3 期）

黑暗了一个下午

光明疾如闪电遁去
我的屋子
黑暗了一个下午

你的容颜却浮起
像空茫中初长的毒
以隐约的亮
以没有边界的微小模糊
以覆盖我的蛮
以吞噬我的巨大苦楚

我的屋子
我的身体

黑暗了一个下午

（选自《福建文学》2011 年第 3 期）

那只小兽放出后

清风的力
是无法移的草
与无法走的树
共同阻隔

那样轻
飘忽的心思
藤蔓一样缠绵荒地
能感觉什么

天宇的灰
是无法取的难
与无法舍的困
混乱糅合

那样重
铅云的雨滴
子弹一样射进深层
能滋润什么

不过是

发芽的依然发芽
枯败的依然枯败
我的依然我的

不过是
那只小兽放出后
倏忽无踪
再也回不来

（选自《福建文学》2014 年第 12 期）

作者简介

黄静芬，1963 年生，福建南安人，已出版诗集《午夜的昙》《穿越我身体的花香》，散文集《以自己喜欢的方式拥抱你》《青山看不厌》，非虚构纪实文学《新男女关系》。

黄鹤权作品

致 玉 书

或许你已遗忘，我爱过你
我看见过，慢的精雕细琢的人
我看见过暮色一点点加浓，你像一粒乡愁的字词
身材瘦小
不分昼夜地发光
我看见过，生锈了的春天因为望你
而忘记延续

我看见过，一群人褪去阴霾和城市蜗居的影印
暗嗅香气
平静地躺在你的河床
他们煨着葱郁，有一双明亮如雪的眼睛
在春光中
以想念你，终此一生

（选自《星星诗刊》2019 年第 7 期）

离 寺 书

脚步声沙沙作响。打扫躁动和虚妄
上升的人群，缓缓推移
在香雾中漫步

在行禅通往行禅的路上

抱着风慢慢走入

弯曲的地域——

爱你是从看你的第一块石阶开始

接着是那些回音

宝蓝的云朵，山泉，石刻，经幡和恢弘的诵经声

——它们永远的清贫，永远的静

会呆很久，陪着我

撞击，对峙。说着负笈西行的光芒

说出天生慢熟

像无数的蝴蝶回旋着

有时也会一病不起

（选自《绿风》2019 年第 1 期）

作者简介

黄鹤权，1997 年生，福建省作协会员，鲁迅文学院海峡青年作家高研班学员。作品散见于《扬子江诗刊》《星星》《星星散文诗》《诗歌月刊》《福建文学》《山西文学》《台港文学选刊》《青年作家》《草堂》等刊。偶有获奖，现居福州。

萧春雷作品

读着唐诗

读着唐诗　在一片红叶上
古老王朝拱门下的绝色女子
诗人　纵酒的游侠儿
让所有年代屈膝的风采
逐渐生动起来　散发芳香

我落在地上　破碎成美丽的
瓷片　浑圆的帝国之梦
依然伫立天际　望穿秋水
我只打听徘徊溪边的憔悴
红颜　梅花枝头一缕悲歌

暮雪　乌啼　世纪之手
在我柔软的腹部仓促移动
物质在坍塌　将我深深
植根于此地　记忆的峰顶
是那尊永不曾摔倒的瓷瓶

读着唐诗　被时间之流携带的
我们　高塔一样竖立起来
攀登悬在空中的歌唱之火

我的身影是否如同一匹奔马
浪迹天涯呼唤失散的骑者

（选自《创世纪》1995 年冬季号）

两 株 树

我们老时　我愿意
肩并肩成为两株树
站在时光的尽头
像树叶那样久久凝视
像树叶那样
灵魂触着灵魂

霜雪已逝　这样的两株
树　被人遗忘
在太阳模糊的边缘
距离死亡还有
一支蜡烛的光辉
相爱一瞬胜过百年

你将是午夜诞生的
新娘　躺上婚床
为我而流泪而美丽
这血红的一夜　没有
门　落叶飘飞

乌黑的鸦群掠过两株树

（选自《福建文学》2000 年第 1 期）

记忆中的虎

枝丫间安坐的灌木
懒洋洋的缓坡　落叶却
拽紧四处游走的湿雾
昏迷和腐烂
捂住了这个清晨的双耳

武夷山脉的寂静
锈迹斑斑　寒鸡
奋拉着影子般的翅膀
我在等候　从镜子里
华南虎纵身跳出

孤独的百兽之王
和我的道路有一次完美的
错过　这古老的火焰
像风弯成弧形
像血泊消失在土里

下山后我仍然震惊
一个物种的傲慢与盲目

那随森林而去的身影

悄悄返回

而我躺下像一处缺口

（选自《厦门文学》2007 年第 6 期）

作者简介

　　萧春雷，1964 年生，福建泰宁人，从事文学、艺评和人文地理写作，著有诗集《时光之砂》，随笔集《文化生灵》《我们住在皮肤里》，人文地理"中国的掌纹"书系等十余种。现居厦门，就职于某媒体。

萧然作品

大　海

我不是大海简单的部分
一条河流，身世独立，携带故乡
心怀一座
险峻的山

在海水中，和所有的江河
使用相同的血液，动用大海的名字
不断推出巨浪
那是一条河流试图
直立身体，抬高被持续降低的
海拔

在大海终于平静的时候
每条河流都是它
摔痛的肋骨

（选自《诗刊》2015 年 12 月下半月刊）

狼　群

群山寂静，森林屏住最小的呼吸
狼群，即将出没

这可能是一种假设，更多时候

我一个人在世上行走

心里携带整个狼群、一千匹，是一种不安的力量

但是，没有人看出痕迹

我目光安详，脚步轻盈

脉管里的血，暂时

还不是玻璃的碎片

一切只要还可以容忍，我就一直隐忍

锋利的牙齿，看着世上那一群又一群

奔突的、其他的狼群，我暂时退入

群山的一侧，时间久了

可能会变成一块石头

多么担心有哲人经过时写诗——

不要惊醒石头，不要打动石头的心

它可能释放出

整个狼群

（选自诗集《不是去向是归途》，海峡文艺出版社
2015年版）

镜　子

我们不断擦拭一面镜子

来清洗逐日陈旧的面容，清洗

镜中深入浅出的目光

需要一次自我打开，把一面小小的镜子

打开成一面大海，努力安抚

镜中汹涌不止的海水

反复打捞，沉入深处的云朵，这些

吃水已久的旧棉花，许多时候

被当作生活的某种具体比喻

需要借助一面镜子，进行

多次自我打碎和修复

一面镜子，它可能是碎片的前身

一面镜子，也可能是无数碎片重聚而成

我们需要通过一面镜子

收拾每一次风暴过后，内心

那些碎裂的部分

更多时候，我们需要使用一面镜子

不动声色，收藏起整片大海

（选自《大风诗歌》2018 年夏季号）

——————————

作者简介

萧然，本名茅林洪，1969 年生于福建仙游，福建省作协会员，莆田市作协副主席，在国内外发表过诗歌、散文作品四百多（篇）首，出版诗集《静夜无痕》《不是去向是归途》，曾获福建省第七届优秀文学奖、施学慨诗歌奖等。

崖虎作品

梦有一张醒着的脸

街角，无法穿越的地带
有许多声音在那里，喊的叫的
还有些不在现场，听不见
虚无只是常态的包裹，也许矫情
场景不同，戏只有一出，在
面具的背后，面具
比表情更丰富些

或许还有些贯通的创口
在形象之外吹奏魔笛
制造阵痛，等待发酵
像那些发酵过的语言和姿态
让街角没入雨季，浸泡声音
在我匀速通过时，也
没有水花溅起

我停在街角对面的窗口里
保持低调，等待一场夜晚的到来
一场纯粹意象的盛宴，让梦清醒
我清醒着，握着方向的把柄
和赶场的日子，请不要
让我说话，笑话比幽默更接近事实

我参与的事实破了魔咒

一场正常的状态越来越近
让人喘不过息来，在街角
请理智些，再理智些
往事不需要沸腾，只要
沉积在无形中挥发
漫过三月烟雨模样的叹息
在不能明晰的结果里注定

（选自《牡丹》2013 年第 8 期）

严重变形

在镜前吓一大跳：错过了春天的约会
剩下的只有想象
对了，想象，一片森林
只有森林，那里才有无数的藤蔓
让思绪蔓延
蔓延爬满镜前的额头，并进入
重度的晕厥
扭曲，在深度里寻找呻吟
不需要顺藤摸瓜
不需要月色朦胧
藤蔓与镜面之间，我的空气炽热着
蒸腾错过的每一个细节，我的
挤压与被挤压，都成了森林深处的雾

在雾中寻找原形是日子的走向

回应我储存于空谷里还在回荡的呼号

找到的都不是原来，森林里没有原来

镜子里没有原来，空气里没有原来

还能听得到呼号也不是原来

我旋转到镜子的背后

又被吓出一个大跳

（选自《福建文学》2015 年第 2 期）

作者简介

崖虎，本名胡建雄，号涯风，"60后"，福建连江人，福建省作协会员，马江画院副院长，文学作品涉及新诗、古典诗词、散文、小说、评论。出版诗集《风的种子》，作品刊于国内外各报刊，部分作品收入诗歌选本。

康城作品

听 见 书

我翻翻书，手臂、皮肤、睫毛
沾满文字的小蚂蚁
虚拟的搬运越过真实的皮肤

再翻翻书，深陷入一本书的沙发
睡眠被书覆盖，合上最后一页
透明的理想衣服装饰美貌和希望

尖叫提醒了我，满墙壁的预设和文字
即将跃起，储存进身体的银行
下一个瞬间，把书一本本从身体里抽出来
它们是笑容和动人的气息

我再翻翻书，"啪"的一声"希望书店"
书章在脑袋上盖了一个印记
而这时我已经进入一本书，四周的空气停止交流
书发出响亮的喊声
不用耳朵的人才听得见

（选自《福建文学》2002 年第 2 期）

东山的夜

大海是一床不安的棉被覆盖着你的睡眠
裸体的鱼群无法入睡，背部的肌肉
瘦成刺

失眠就转身翻一次波浪，手是一张网
捕捉一定的长度。
它欢迎进入更深的离开，成为一座房子的阳台

对渔民来说，鱼群是砖瓦
或是一片玻璃
大海是不安的发电厂

波浪声在你的意识里清醒
一颗风动石填住你的全部睡眠
致命的触动
风，流过，石头迅速复活

石头分裂，在白天，1992 年
在夜晚，它们则往秘密的中心聚集

（选自《"70 后"诗集》，海风出版社 2004 年版）

屋顶上的旧轮胎

二楼屋顶上躺着一大堆旧轮胎

不再运转，奔跑

走过的路，仍然在山川之间

没有一条路消失，或被重建

雨冲刷屋顶

旧轮胎的记忆发亮

它们在屋顶上，背互相依靠

没有说话，也并不感觉寒冷

黑色的旧轮胎，散布在木板门、窗户

和竹楼梯之间

几天前我发现它们

并未想过它们早已呆在那里

或许比我来得更早

在空中屋顶是宽敞的车道

想象中的奔跑仍在继续

怀旧的气息从轮胎堆放的姿势里发出

看来雨水并没有冲刷走

原本清晰的事物

（选自《"70 后"诗歌档案》，中国海洋大学出版
社 2008 年版）

图书馆前

他不会像其他人

顺着下山的坡度轻快回家

他先在台阶上站立

傍晚最后的血红

马上就会消失

明天，不再是这样的云和光线

下了台阶，他也不急着骑车

凤凰树叶子失去光鲜

塔松还是那副愚蠢的柱状

那么多叶子焦灼

而后，车子在广场绕了两圈

重新支起在馆前

他从口袋里掏出烟

点燃，吸了一口，呼出

片刻的停顿

仅是因为人迹将散

渐渐显出空旷的广场

（选自《诗刊》2017 年 7 月号下半月刊）

作者简介

康城，本名郑炳文，1972 年生，福建漳州人。著有诗集《康城的速度》《白色水管》《东山的风》，诗选集《溯溪》，合作编著有《漳州 7 人诗选》《70 后诗集》，编辑《第三说》诗刊、《0596》诗刊等。

梁征作品

姬岩之悟

极目东南的姬岩是我的梦乡
我赤着双脚
让肌肤直接感受大地的温情
我想象自己是一株三月的芙蓉李
对阳光和雨水的敏感
是我的全部意义
想让谁喊一声"父亲"的冲动
比爱情更难抑制

在高高的姬岩上我强烈感受到
我需要一个儿子
唯一的愿望是让他在天高云淡处放风筝
如果可能
我就变成他手中那根长长的线
在高高的姬岩上
憧憬着那一轮海潮晴拥的玉芙蓉

青青的李果会有紫红的内心
紫云英注定献身
泥土永远默默无闻
而青蛙即将发表慷慨激昂的宣言

领悟这一切奥秘是多么舒坦

裸足走在千古未衰的姬岩

自由地思考并感受

是我幸福的时光

（选自《福建文学》2010 年第 9 期）

宁海初日

溪海汇集之处

海曙长天在夺目的立体视线中

升腾为全新的时空氤氲

宁静　淡泊

穿越我们灵魂深处的血脉

尽情地舒展于一片苍茫

初升的情感在阵痛中徘徊

生命在蓝天和大海中糅合

滋长色彩的炽热与梦幻

浑圆地拔节于海平面上

海的心　是水

水的心　是波

波的心　是天

天的心　是这轮宁海的初日

宁海初日

舞蹈之珠　日精月华

出自何方坠自何方

你用无形的手足

踏定虚空之路　抚平三千起伏

穿透千丈红尘的混浊

炯炯而升　黎明钟声响起

我们一起泅渡

两眸一叠一开

已全然倾诉

破晓烟　撼桥石

金轮洗出海天赤

恐龙可以灭绝

沧海可以桑田

唯这颗独舞的火珠

聚天地心灵之气

载万物悟性一往情深

怡怡然以旷古的宁静与睿智

对峙着喧嚣而浮躁的世界

释放周身的火焰

照耀古老的莆阳大地

宁海初日

一次又一次地古老

一次又一次地年轻

生命与灵魂之间

有着永恒的贯通

我要触摸天空的血和心跳

历史是梦的伤口

你来了使爱和愿望找到了形体

在生命和消亡之间模拟虚幻的飞翔

我砌起所有的梦想

都高不过你那无形的翅膀

（选自《绿风》2013 年第 2 期）

作者简介

梁征，1959 年生。作品散见于国内各级报刊，并入选多种选本。出版有诗集《寻找雪峰》《木兰春涨》等。

惭江作品

那个清扫蟋蟀声的人

那个清扫蟋蟀声的人，像在清扫一场雪
袖子上卷起的风，必须有一段冷寂落寞
必须有远松的黛色，有依稀的犬吠
久无人。有掩完柴扉后返回的声音
他走动的步伐，分别扇动了月色、竹影和桂花香
月色本来很亮，再一次跟上绷紧了他
作为院子内一颗静的核
他似乎变得还不够小
窗外，匏有苦叶。更远，他和江边乌桕树上的
一只寒鸦形成对应

门再次被推开，有三十六种晚秋排闼而入
那一刻，他几乎摸到了寒风中隐藏的薄刃
并能把它抽出来。他身上的裂隙怎么关
也没关上

（选自《诗潮》2016 年第 11 期）

陶罐上的裂纹比皱纹深一些

这些站立的泥土，它能承受一道光
躺在上面

另一大片斜插在阴暗里

那光稍微停了一下
就越陷越深，挣扎不起

这就是时间老去的样子
光不过是在人间的化身

泥土软下去是一次投胎，它只能承受犁铧
田垄里沟沟壑壑
父亲额头上的，只不过是一次误伤

（选自《山东文学》2019 年第 7 期）

作者简介

崭江，1970 年生，福建宁化人，作品散见《诗刊》《星星》《诗选刊》等，获得福建省第 33 届优秀文学作品奖、第三届红棉文学奖、第五届上海市民诗歌节奖、首届闻捷诗歌奖等，著有诗集《大云过境》。

黑枣作品

一只掉队的蜜蜂

这是一只掉队的蜜蜂，天色已晚
它像一只无头苍蝇般地乱闯
一会儿撞向工地围墙的铁板
一会儿冲进提早点亮的路灯的光晕
一颗渐渐充满怒气的子弹
我听见它体内嗡嗡盘旋的风暴
它一定想把全部的花朵席卷而空
让失踪的伙伴能闻讯前来……

我几乎可以看见它单薄的羽翅
承载着整个花季的惶恐与焦虑
然后，它"嗖"地拔出体内的利剑
朝骤然逼近的夜色
狠狠地扎去……

驾直升机的蜻蜓

在我没见过真正的飞机之前
我常常捉住一只蜻蜓，让它停靠在
一本有直升机图案的小人书上
它就是一只骄傲的直升机。
童年的天空从此回旋着翅膀扇动的风声

一部充满幻想的引擎轰隆隆地

响彻东山村灯火昏黄的夜空

我一直想像一只蜻蜓那样飞翔

驾直升机的蜻蜓，顽皮地停留在半空

它俯瞰我时，我一定有如狗尾巴草细小

我眼角的泪滴，像一粒溺水的灰尘……

今天，我又看见驾直升机的蜻蜓了

我突然明白，许多美好的回忆都是误解

我童真殒失的心脏，已经降落不下

一只轻如羽毛的蜻蜓……

（以上二首选自《诗刊》2019 年 11 月号上半月刊）

作者简介

黑枣，原名林铁鹏，1969 年生。参加第十九届"青春诗会"；获第八届华文青年诗人奖。已出版诗集《亲爱的情诗》《小镇书》《亲爱的角美》，散文随笔集《12·21》（与妻子合著）。

程剑平作品

疼　痛

我轻声朗读
感到发音不畅，咬字
困难，有些疼痛

这是一首韦白翻译的
美国诗人兰得尔·贾雷尔的诗——
《下一天》。前些天
我已阅读了一遍

我没有忘记当时的兴奋
今天，在路上，我喜欢上
一个陌生的姑娘。和往常不同
我不仅多看她一眼，而且想和她
说话，想把喜欢弄出一点声音

你一定懂得阅读和朗读的不同
是这样的，我想把喜欢弄出
一点声音。我没有忘记当时的兴奋
我轻声朗读

"看看我。他没有看我，这让我沮丧
多年来

我美得秀色可餐：世界看着我

嘴边淌着口水……"

我明显感到：疼痛

生自口腔深处。这让我想起

舌根一处溃疡还没有痊愈

这些年，不知什么缘故，口舌常常生疮

我也怀疑：曾经洁白、尖利的牙齿

有些松动

（选自《诗歌月刊》2004 年第 5 期）

耳 语 者

耳语者坐在我背后

把一个下午平分给蜜蜂和空巢

我没有转身，不知听者是谁

离去的时候只有他一人

右边腮上按着手机和巴掌

看不出来是在语

还是在听

四周无人

依然有耳语者

在我后脑勺平分蜜蜂和空巢

（选自《台港文学选刊》2016 年第 3 期）

一块被岁月抱紧的石头

山门闭合的尾音
挤出一缕清风
我揉出一粒沙子
看见寺庙围墙阴影
歪倒着一座树根

我绕着它缓缓踱步
想象自己是一只钟表
喃喃自语：养育它的山
该有多大的胸怀

这山该是山外之山
从方外，云里雾里
将它运送到这个世间边界
一定是凭借"虚空"之力

我食人间烟火的余烬
思想不可能比心想深广
在根根须须粘挂的
一团泥巴背后

我发现一块被岁月抱紧
的石头——

一会儿压在老家
一坛酸菜缸上
一会儿竖立渡口
缆住一条江水的妄念

（选自《福建文学》2018 年第 6 期）

作者简介

程剑平，1962 年生，莆田人，居福州，已出版诗集《一场没有落下的雨》《超度语言》《世纪末·狗叫》和《新世纪·问医》等 4 部，诗作收入《闽派诗歌百年百人作品选》和《中国诗歌年选》《2010~2011 福建优秀诗歌选》等选本。

舒婷作品

致 橡 树

我如果爱你——

绝不像攀援的凌霄花

借你的高枝炫耀自己

我如果爱你——

绝不学痴情的鸟儿

为绿荫重复单调的歌曲

也不止像泉源

长年送来清凉的慰藉

也不止像险峰

增加你的高度，衬托你的威仪

甚至日光

甚至春雨

不，这些都还不够！

我必须是你近旁的一株木棉

作为树的形象和你站在一起

根，紧握在地下

叶，相触在云里

每一阵风过

我们都互相致意

但没有人

听懂我们的言语

你有你的铜枝铁干

像刀，像剑

也像戟

我有我的红硕花朵

像沉重的叹息

又像英勇的火炬

我们分担寒潮、风雷、霹雳

我们共享雾霭、云霞、虹霓

仿佛永远分离

却又终生相依

这才是伟大的爱情

坚贞就在这里

不仅爱你伟岸的身躯

也爱你坚持的位置，脚下的土地

（选自《诗刊》1979 年第 4 期）

祖国啊，我亲爱的祖国

我是你河边上破旧的老水车

数百年来纺着疲惫的歌

我是你额上熏黑的矿灯

照你在历史的隧洞里蜗行摸索

我是干瘪的稻穗，是失修的路基

是淤滩上的驳船

把纤绳深深

勒进你的肩膊

——祖国啊

我是贫困
我是悲哀。
我是你祖祖辈辈
痛苦的希望啊
是"飞天"袖间
千百年未落到地面的花朵
——祖国啊！

我是你簇新的理想
刚从神话的蛛网里挣脱
我是你雪被下古莲的胚芽
我是你挂着眼泪的笑窝
我是新刷出的雪白的起跑线
是绯红的黎明
正在喷薄
——祖国啊

我是你的十亿分之一
是你九百六十万平方的总和
你以伤痕累累的乳房
喂养了
迷惘的我、深思的我、沸腾的我
那就从我的血肉之躯上
去取得
你的富饶、你的荣光、你的自由
——祖国啊
我亲爱的祖国！

（选自《诗刊》1979 年第 7 期）

往事二三

一只打翻的酒盅
石路在月光下浮动
青草压倒的地方
遗落一枝映山红

桉树林旋转起来
繁星拼成了万花筒
生锈的铁锚上
眼睛倒映出晕眩的天空

以竖起的书本挡住烛光
手指轻轻衔在口中
在脆薄的寂静里
做半明半昧的梦

（选自《福建文艺》1980 年第 9 期）

代邮吉他女郎

一把小伞
在岑寂的长街漂流
漂流在混血姑娘的辛酸身世
漂流在我空寞的山林如雨后香蕈
再漂流成
一条长江

一条莱茵河

别让你云意深深的眼
将我整个儿淋湿了啊，蕾娜托

黑色的热情有如丛林鼓声
烈马在弦上踩出蓝火
一个黑发的年青妈妈，和
一个金发的小女儿
明媚我又刺痛我
已经把我弹成一渊寂静
你的指尖还在探索

你触摸到的只是一堵墙
把我编进歌曲里已太晚了啊，蕾娜托

在出租汽车前
在旅馆大门口
我们一再相见，又重新道别
阳光和雾雨是柏林西的气候
母亲遗下的旗袍把你的凄绝
裹成一册线装书
让老威廉教堂失色

我们真正告别，是在出生的那一刻
再见，柏林西；再见，蕾娜托

（选自《人民文学》1986 年第 1 期）

始 祖 鸟

从亘古
俯瞰我们

天空　他无痕
丛林莽原都在他翅翼的阴影下
鸣禽中他哑口
众鸟只是复杂地　模仿
他单纯的沉默
丑陋　迟钝　孤单
屡遭强敌和饥寒
毁灭于洪荒
传奇于洪荒
他倒下的姿势一片模糊
因之渐渐明亮的
是背景
那一幕混沌的黎明原始的曙光
用王冕似的名字
将他
铸在进化史上　据说这是
永生

没有自传　也
不再感想

（选自《诗刊》1987 年第 2 期）

禅宗修习地

坐成千仞陡壁
面海

送水女人蜿蜒而来
脚踝系着夕阳
发白的草迹
铺一匹金色的软缎
你们只是浇灌我的影子
郁郁葱葱的是你们自己的愿望

风，纹过天空
金色银色的小甲虫
抖动纤细的触须，纷纷
在我身边折断
不必照耀我，星辰
被尘世的磨坊研碎过
我重聚自身光芒返照人生

面海
海在哪里
回流于一支日本铜笛的
就是这些
无色无味无知无觉的水吗

再坐

坐至寂静满盈

看一茎弱草端举群山

长嘘一声

胸中沟壑尽去

逐

还原为平地

（选自《星星诗刊》，1991 年第 5 期）

神 女 峰

在向你挥舞的各色花帕中

是谁的手突然收回

紧紧捂住了自己的眼睛

当人们四散离去，谁

还站在船尾

衣裙漫飞，如翻涌不息的云

江涛

    高一声

        低一声

美丽的梦留下美丽的忧伤

人间天上，代代相传

但是，心

真能变成石头吗

为盼望远天杳鸿

而错过无数次春江月明

沿着江岸
金光菊和女贞子的洪流
正煽动新的背叛
　　与其在悬崖上展览千年
　　不如在爱人肩头痛哭一晚

（选自《舒婷的诗》，人民文学出版社 1998 年版）

惠安女子

野火在远方，远方
在你琥珀色的眼睛里

以古老部落的银饰
约束柔软的腰肢
幸福虽不可预期，但少女的梦
蒲公英一般徐徐落在海面上
啊，浪花无边无际

天生不爱倾诉苦难
并非苦难已经永远绝迹
当洞箫和琵琶在晚照中
唤醒普遍的忧伤
你把头巾一角轻轻咬在嘴里

这样优美地站在海天之间

令人忽略了：你的裸足

所踩过的碱滩和礁石

于是，在封面和插图中

你成为风景，成为传奇

（选自《舒婷的诗》，人民文学出版社 1998 年版）

作者简介

舒婷，本名龚佩瑜，1952 年生，福建厦门人。当代著名诗人，朦胧诗派代表人物，福建省文联、作协副主席，厦门市文联主席。中国作协第四届理事、第五届全委会委员、第六、七、八届主席团委员。著有诗集《双桅船》《会唱歌的鸢尾花》《始祖鸟》《舒婷的诗》，散文集《心烟》、《秋天的情绪》、《硬骨凌霄》、《真水无香》、《露珠里的"诗想"》、《舒婷文集》（3 卷）等。

鲁亢作品

梦

白乌鸦掠过哮喘的城

可能的热寂传播在魅影春天

微物跳下提高室内荒漠的温度

斧头劈开铁栅栏

疾风穿透涂磷的黑街巷

指甲弹落紧绷的花瓣

我的"晚安，女神"在床上

向丝袍般的晦暗中压

左手扑腾着鱼和鱼和鱼

在蓝色噪音里驱赶江边的蚊蚋

混沌实现　血丝弹奏童声

爱情鼠群尾送着恶气的新嫁娘

星河如晦

自由的逻辑如列车脱轨

语言将气息堵在隔离区域

战车以阅兵式的美学轰隆隆挺进

我开始提炼喧器中的灰元素制造肉的冬眠

在光的几何学酷刑下肢体分散在隐喻交叉线

在叶脉或在底片的诅咒中

尖顶向上攀升

灵魂展露空袭和斩首行动的天空

旗帜翻卷着"全部毁掉啦"

头颅垂落洞穴
梦似苍白的壳

（选自《福建文学》2018 年第 11 期）

下过雨了

下过雨了大家的心情也放轻松
冷漠依旧刻脸上，可以忽略
爱看不看。海面来的风会慢些
树叶尖抖动的风来自内陆

从儿童鞋店走到隔壁的儿童鞋店
小女孩在拐弯时做了一下扩胸动作
天一片一片地暗下，很好取景
却让心若死灰的人
更有理由想到好景都归别人
歹运就如背上的粽叶

每天多半是无事临暮
却于此刻气温陡然升高，城市破相
晚上碰面的人聊聊事不关己的大事件
快来的台风途经东北角成形
从来没有过，但真的是

我觉得那位姿色平平的女士
她快撑不住了，已经坐等一天

她到底是我家卑贱的保姆

还是自小失联的三姐

刚刚在微信里问道：

"你还在外面吗？"

（选自《星河》2019 年春季卷）

在 今 夜

在今夜我们遭遇这首歌

在今夜我们读出这首迷恋痛苦的歌

在今夜我们默默磨亮这首生锈的歌

在今夜我们唱这首歌，从头开始

我们完全不知道有这样一首歌

我们起床时附近的机房响着马达的声音

我们在替前程担忧，它像垃圾堆里的钻石

我们突然扯开嗓子一直唱个不停

其实我们需要收拾所有的行李

其实我们已经动身，但双眸缀满音符

其实我们不懂怎么回事，我们正交换钥匙

其实我们无处可去又认为天下的门一打就开

是谁注意到我们了抱着这样大的热情

是因为我们已经醒悟，理所当然世界也变了模样？

是我们的愚饨反而得到幸运之神的厚待

是这样的话我们实在愚不可及

在今夜这首歌被有意放弃

在今夜这首歌被篡改，如同恋人中途变卦

在今夜这首歌缝纫机似的缝上我们的睡袋

在今夜什么事也没有到来

（选自《中国作家》2019 年第 4 期）

作者简介

鲁亢，生于 20 世纪 60 年代，福州人，写作者，出版有随笔集《被骨头知道》（宁夏阳光出版社），诗集《在今夜》，小说集《时间，救我》（百花洲文艺出版社）等。

道辉作品

挥 挥 手

回来
已不在有四方墙的旅途
你的心上
不再插隐晦旗
那无型血养的鸽子变乌鸦
向南方飞去

南方倒着向你飞来吗，一束湿漉的光

眼瞳，说着江河倒流的话
烛台穿着靴子
光焰携带启明星的灰烬练走兵营的步伐
眼瞳说到最后飘出风雪

你飞吧，一束忧郁的光
石块屋顶晒满萝卜干和蜂巢
破残的大凉伞鼓面惠安农妇在跳肚脐舞
尽管大地饿饱交替照常

你回来吧，别跟着光四处飘飞

（选自《诗刊》2018 年 2 月号下半月刊）

种 春 光

拂晓前抵达，沿途来的期望，你把它种下来
在旗风吹动的头发上
头发含着热血常是来咬自己的耳根
春天刚过，饱满、顿逝，你却未说出一句话
拂晓前抵达
春天唱祝福歌的咽喉

春光唯有美妙，怎肯赠送给他人
你把它种在胸怀中
这园子，却长出黑暗中争吵的家人
弄湿布衣伴眼中的雾气飘落

拂晓前抵达，那园子架起的阴影
要去空中种下幻影？
拂晓前返回，那电闪雷鸣不比番鸭的啼叫长久
你还伸出尾指擦碰钥匙冻结转孔的火花

（选自《诗刊》2018 年 2 月号下半月刊）

秋刀鱼之歌

那就以此清晰为你——
忧戚吐泥浆，那是秋刀鱼的脸
一把被咬过的钥匙在风口弹跳

幻影叮当，近一点，那就以此为自己的房屋

自己讲的话自己的土地，松土想来借胸膛站立
你仰起头颅只是比一位老人高一点
老人在果树捆挂吊缸，讲，听落果像群山的鼓声

看隐秘的未断落的头颅随山坡的新绿滚烫
那像是有人精心布置一堵堵隔离墙在与围困屠决
年轻的激烈的思想哪里去了，你，就滚烫吧——

比来舰艇上晾晒的被单弹跳高一点，是秋刀鱼的歌
而你唱给故乡的歌声，仍是比一位老人的唠叨低声一点
那是已没有献技艺人，用鼻息把绳岸和犬吠点燃

（选自《人民文学》2018 年第 12 期）

闽南的发光树

你是我，合抱成一棵橄榄树
向着最高的光旋转上去
那边不是以色列的天，会随冷雨撒落金币
金币像光一拿上手就融化
那边自成一峡，说着古怪的闽南语
怎么听都像巫师在掏耳洞

闪光的金龟虫爬呀爬
弹弓在星宿上爬呀爬

孩子们指着星说："是理想的爸爸?"
孩子们哭了，把我和你合抱作一棵什么树

那是什么人，会学着无名树在夜间鸣叫

管他呢，那可不是水仙失贞的漳州
刚爱上春天又埋葬了春天
一团盐的火光在空中飞着
一直飞着，一直到
所有灰烬的台阶都通向树林
走进树林就走进空地，走进隔世的心灵中

"噢是的，你打算
来世为爸爸栽种一棵长生树!"

世界旋转你和我
千万别接过巫师手中的花和金币
孩子们合力砍倒一棵暗中的哭泣树

（选自《诗刊》2019 年 4 月号上半月刊）

作者简介

　　道辉，1965 年生于福建省漳浦县。1992 年创立新死亡诗派，2007 年加入中国作家协会。获《十月》文学新锐奖、《诗歌月刊》年度诗人奖等。已出版专集《大呢喃颂》《亡杖》《性情的个人与国家》《无简历篇》《语词性质论》等。

曾永龙作品

熬 夜

忙于避暑，竹蜻蜓长生于横梁之上

潮汐以回旋的音浪播种

满是尘器的睡意

鼻息染过咖啡色的话语，桀骜地

加入一场梦境的葬礼

待主角敲定了死亡的顺序

于茶水间递过名片后

我们又交换身份

领取新皮囊

遂即在昏沉的半夜中

匆匆从曲折的肠道中纷纷离去

闹钟的轮廓被阳光慢慢融化

穿过一床迷雾后

远山就化为依稀的肺腑，缓缓吐出

一丝不挂的

清晨

（选自《青春》2018 年第 2 期）

四月十八日，又一个冷雨夜

当天晚上我就回去，没有逗留

想着那颗月亮，用肋骨上

发亮的弯刀切下天空，乌云

错身而败走。不能宽裕的狭小缝隙

原谅我倦意沉沉，不可能

——作别，我有时，不能醒悟

常推杯入影，对镜自酌，指针走得飞快

腹中的水汽升腾，将睡意拥入云层

迅疾化作行道之树。归隐林中

与人群抢夺一次淋湿的机遇，黑色的包袱

就被我割开，口袋阵里

人群影影绰绰

（选自《诗刊》2018 年 9 月号下半月刊）

作者简介

曾永龙，1998 年生，福建泉州人。福建省新文学群体暨青年作家研修班学员。曾获第六届"野草文学奖"邀请赛三等奖，入选第十届榕城高校十大写手，诗歌作品散见于《诗刊》《福建文学》等。

曾弗作品

厦 门 痣

合上第 1938 页。那儿有一颗痣
像牛蜱挂在牛腹上
我曾对写书的人说
乘着春日，带些阳光，晒晒
这满纸的霉斑。那儿有一颗痣
散发着硝的潮湿和
膏药暗红的弱光
合上它。月晕下的海滩
那儿有一颗痣，龙舌兰地里的孤单坟茔
该腐烂的腐烂，那痣还在，还在
腐烂。所有的碑文都是歌颂
这一篇例外，它在腐烂
合上它。坚冷的玄武岩石碑
托付给潮汐，日复一日，朽去
剩了这碑文，在坟头上飘荡
最后啥也没有，剩下飘荡。合上它
换一个角度，架设栅栏，捕猎
倒退着奔驰的种马，面容宛若大海
阒寂。那儿有一颗痣。合上它，合上
一座小岛，一座大岛，一座更大的岛
合上厦门。那儿有一颗痣
深藏在第 1938 页

能感觉到它

在指肚下凸起

（选自《厦门文学》2008 年 5 月号）

天空在夜里继续蔚蓝

天空在夜里继续蔚蓝

就像墓碑下的叹息与歌唱

你自胸膛捧出的云朵

在远方的某处绽开笑脸

最后在另一个人们看不到的地方

有人用空镜子照出一座花园

（选自诗集《镜中人影》，线装书局 2017 年版）

作者简介

曾弗，本名曾辐物，1968 年生，福建云霄人，现居厦门。诗人、画家、书法家。诗歌、小说等作品散见于《北京文学》《绿洲》《厦门文学》等报刊，出版诗集《镜中人影》。

曾宏作品

鸟

一只鸟
站在雨中
站在一根竹子顶端
竹子被剖过两半
一半被绑在阳台上
另一半已魂失他乡

一只鸟站在
半片竹子的顶端
背后是雨和红木棉
红木棉被雨遮挡身后
丝毫见不着
红的模样

一只鸟站在清明早上
水在竹片上流淌
聚汇在
国民大瓷缸
缸里的水满了
漫成无边的大池塘

一只鸟在池塘之上

它如此孤独

周围没有同伴

它站在我的一只眼上

而另一只眼

还在睡觉

（选自《特区文学》2014 年第 2 期）

枯 山 水

我爱那腐朽的事物

它们经历过死亡

活着，不仅睁着眼睛

因为死，闭上眼睛

都在思考

我把你们排成枯山水

遥看繁华人间

活过，也死过

你们成为永恒

在我生之后，死之前

（选自《诗收获》2018 年春之卷）

雕　刻

山的肌肤，杀戮后的碎片
我将它们洗刷，摆放一块
雕刻、打磨再组合
让它们看起来
有复活的想象

所有努力
都在于自欺欺人

我一刀刀地
解剖肉
试图抵达灵
这是不可克服的事情
却是必须要做的事情
正如我们活着
向死而生

（选自《江南诗》2018 年第 6 期）

作者简介

曾宏，1960 年生，福州人。著有诗集《旅程》、随笔《挣扎与美》等。现从事艺术工作。

曾建梅作品

我们都不知道将以何种方式老去

一个上海姑娘爱上了福建水师一个士兵
走的时候十七岁

六十年后她独自坐在马尾街的老屋门前晒太阳
过往的路人把她看成了一道街景
一遍一遍重复着
哦，一个上海姑娘……

偶尔有人围过去请她讲讲过往的人生
讲她的虚妄与执着

我快步走过
在心里陪她坐了一会儿

（选自《福建文学》2016 年第 3 期）

画凤凰的人

古渡口有一面白墙
几个男人和几个女人

在上面

画凤凰

谁也没见过凤凰的样子
但他们见过

他们说他们的祖先头上有冠、身披彩翼
他们说故乡就叫凤凰山

他们说再有十来天就画成了
凤凰的眼睛或许是深蓝色

说这些的时候他们像是在歌唱
用一种快要飞走的语言

（选自《诗刊》2016 年 9 月号上半月刊）

作者简介

曾建梅，1981 年生，原籍四川内江，现居福州。诗作刊于《诗刊》《福建文学》《海峡诗人》等刊物。

曾阅作品

爱　神

跳下去　沐浴你
磷光闪射的海洋

未必尽要大动作
本来就是行走的风

用形状和声音回答
达不到心的要求

置身岁月思索的翅膀上
向亘古未有的蔚蓝扬帆

以诗为证，以绿印心
眸光呼吸春天成熟的歌

（选自《福建文学》1994 年第 4 期）

海浪滚滚

时间在角逐中形成
声音在搏斗间震颤
世俗从大段塌方中经过

剽悍泪珠　来自瞳仁
这永不冻结的港

没法分辨你遗忘岁月
还是岁月把你遗忘
从唇瓣明白：邂逅
失控，回忆没界限
诗　露宿
在痛苦的战场

（选自《福建文学》1994 年第 4 期）

作者简介

曾阅，1934 年生，福建晋江人，诗作刊于《福建文学》《厦门文学》等，著有《诗人蔡
其矫》等。

曾章团作品

摇　青

黄昏像手掌暗了下来
晚霞和山脉
都是掌纹
托着一公顷的阳光
在风的身体里
发酵出叶子的青味和香气

以竹筛为祖国
以麻绳为军队
两双手的条约
让幼嫩的叶子适应成熟
让苦难的残水沿着叶脉
离心出深邃的运命

今夜，所有的茶树
都选择隐姓埋名
纷纷放下成长的刀剑
用发酵忍住悲伤
在皲裂的掌心下
漾出观音的慈怀

当生活的史志被一再涂改

唯有茶叶仍醒着

像一颗颗经文，劝诫着人们

褪去兵甲，披上袈裟

（选自诗选集《诗想长安》，海峡文艺出版社 2017 年版）

梓 路 寺

轻如秋雾的古寺

在徽州的墨色里耸立

圆塔高过蓝天淹没白云

一扇门醒着

同行者心照不宣

只有缓慢和寂寥

把深秋捏进米粒里

捧着二只碗

过堂的手臂

放开三千亩的奇墅湖

我止语

这时的心就是一粒微尘

湖水之外还有湖水

钟声之后还是钟声

月光拍打禅院

胸中的雪山

披挂着神性的身影
星辰划过天宇
碑立静处字无声
唯有光停歇的脚步

（选自诗选集《诗想长安》，海峡文艺出版社 2017 年版）

作者简介

曾章团，1968 年生，福建福鼎人，迄今发表诗歌若干，诗文入选《福建师大百年文学大系》《中国当下诗歌现场（2016）》《不老的长安山》等。曾获福建省社会科学优秀成果三等奖，现任福建省民间文艺家协会副主席兼秘书长。

温文茂作品

赵 之 谦

吃不透考场
吃不透官场
却把魏碑给吃透了

魏碑润泽
生动了你的笔尖
生动了你的一生

（选自《诗选刊》2003 年第 10 期）

给梦安家
——题赠画家林容生

有一种执着叫从容
有一种成熟叫陌生
容生——
你从那片叫绘画的林子里走来
想着　给梦筑一个家园
笔杆为柱
色彩为帘
宁静为魂

思想在前面引路
梦恬然入住

如果说思想
是灶膛温暖的火苗
那么梦
就是那惬意的炊烟

（选自《福建文学》2016 年第 12 期）

作者简介

　　温文茂，1965 年生，现供职于上杭县文联。中国书法家协会会员、中国楹联学会会员、福建省作家协会会员。从事诗歌创作 30 多年，300 多首诗作发表于《诗选刊》《星星诗刊》《青春》《福建文学》等，著有诗集《浅酌》《放飞心灵》。

游刃作品

托 梦 者

从水银灯照耀的死亡的现场
托梦者带来的不仅只是一副耳朵
他的眼睛也像一对不眠之鸟
当电灯拉起，他目睹了从屋内摇晃的
陈设中升起玫瑰的风筝，时间对
它的追赶已显得太迟，太过呆滞

托梦者受命于众多远游的心灵
他的骨头呼唤活着的前夜
打开自己的棺盖，划动自己的双手
到达没有圆月的水面，托梦者从
一口井中升起了七个活人的石像

他们来自钢筋水泥的七层楼房
而不对应可怖的七重地狱。哦，磷火
在托梦者的头发上熄灭，他要说
他是石头的代言人，因而有七张嘴
经过一阵互相避让，又重新闭合
以沉默，以锈的牙齿维护红尘的尊严

托梦者不是室内闲人，他是他自己
拉长脖子，透过道德的幌子窥见

伟大的秘密。他耳轮上的茸毛，也
像是梦幻的界限：生与死都不可言说

(选自《诗神》1996 年第 7 期)

蚂　蚁

一只蚂蚁在我家灶台上逛来逛去
根本没把我放在眼里

它脑海里的黑暗看似渺小
却从来都比我的世界更复杂更广大

我或许就是这只蚂蚁梦中的一只蚂蚁
因为我相信存在过那个槐安国

我是它们历史中一小片模糊的影子
一出戏里匆匆过场的小角色

(选自《福建文学》2016 年第 11 期)

论 孤 独

我是凭着命运某根可靠的逻辑之绳
来到这里，在你面前，无须严密的论证
确实，不可知，有时显现为直线
有时却是多边形；有时是激流

有时却是杯中静水。心灵的圣地
时或就附着在我们小时候都捕捉过的
那只寒蝉的薄翅上，我们都没听懂
它鸣叫的意味。天堂透明，故而我们
从未目睹。其实，我们难以想象
透明里有星座嵯峨，有流云织就的
重重景象，有无数像我们一样
自我困扰的生命寄居其里

那将降祸与赐福同时整合进某个
瞬间的力量，借助山顶那根芦苇的
摇曳，让我们经历沧海的骇浪惊涛
我不再和你辨析每件事情的对与错了
——还不如，不如趁着酩酊
重新设计可能人生的某种不可能
事实上，在那棵巨大的槐树下
我犹疑如一只畏惧黄粱梦醒后现出真身的
蝼蚁。日落残垣，水光波动
我等着有一面魔镜，将我们中的每个我
一一分开，那既是一些朝生暮死的
蜉蝣，同时也是一些卑微不群的孑孓

（选自《草堂》2017 年第 8 期）

限　定

那个游泳的人，试图要摆脱

海水对他的限定，所以，看上去
他的双手就像在噩梦中挣扎着要醒来

其实，我看不到他在海水里脚的细节
动作要比在陆地上的慢些
像要艰难地从厚茧里剥脱

他的嘴，在一张一翕
像在模仿鲨鱼，这样，他觉得
自己才能独占这片辽阔的大海

而他的心，此刻，他的心
才是真正让我们无法想象的世界
因为我们不能对它做出恶意或善意的判断

（选自《福建文学》2017 年第 9 期）

作者简介

游刃，1965 年生，福建柘荣县人，著有诗集《一直生活在一个地方》、随笔集《一间无尽的舞厅》。

谢木森作品

古典三章

一

是的，越来越黑了，但还不够

隔着一盏前朝的灯　我与北风

谈论起诗歌里的政治学

想起昨日　三千里快雪加紧

开发区上空白茫茫的一片，舞台下

座无虚席，提线的木偶提前道出了母语

二

在宋朝，一个男人牵着一匹欲望的老马走过中原

像赶赴一场三十多年前的集会　光阴疲惫

高墙下　书生只起了个大早，唤醒了五更天

再一次与掌灯的宫女一一告别

三

虚无　自昨夜而来，隐匿于尘埃之下

祖国二字偏僻，宜饮酒、写诗、作画

穿过无数个打更者的银器　声音落地

多么像初冬的那一场大雪

突然地就包裹住了手脚，眼皮以及夜晚

（选自《山东文学》2014 年第 1 期下半月刊）

谣言与故乡

拒绝乌鸦，像拒绝过去

所有被复制过的夜晚

这强大的黑　曾笼罩了我的前半生

黄土下深藏着的那口枯井在此刻

如深渊般始终无法填满　欲望

火车一再开进广场

穿过闪电的故乡，在清晨醒来前

与另一个谣言一同抵达

夜晚沉默如院子里躺着的石头

涨水的河岸低过下游

等不及的电话响起

未来只把多年来的咳嗽　一再压低

以一场盛大的欢宴为由将我送进白昼

这光明的囚徒，在今夜竟如此落寞

洗净九月的身躯，之后

高楼并排　行人连车受灾

十五个手指敲打过的夜晚生锈

我单薄的身子在今夜

竟有乌鸦穿过月光　将石头叼碎

当白鸽被押解装进天空的时候

我看见，成群的妇女挤满了城楼的高处

声音如水，再一次激起时是在深夜

唯有死亡缺失，我与城市倾尽一切

大地因此抱憾终身

（选自《泉州文学》2019 年第 5 期）

作者简介

谢木森，1991 年生，福建安溪人，福建省作家协会会员，已出版诗集《古典/肉体的二分之一》，现居厦门。

谢宜兴作品

三十岁的豆豆

人们还认为豆豆仍是那个懂事的娃子

那个八岁割草喂羊十岁放牛拾粪

十三岁打柴捔起父亲丢下的日子

十六岁扶犁耕耘母亲失明的叹息的娃子

人们忘记了三十岁的豆豆已是三十岁的光棍汉

忘记了三十岁的光棍汉需要家

需要女人的温存女人的慰藉

需要一些不能在店柜头与大家共享的秘密

然而三十岁的豆豆没有秘密

大家都知道他珍藏过

村子里一个远嫁的姑娘小时候

送给他的一小盒彩色蜡笔

后来村西口的寡妇为他补了两次坎肩

他把蜡笔送给了寡妇儿子

然后以当父亲的年纪拿起寡妇儿子的

小人书，看得津津有味啧啧不已

八岁的满足感在三十岁的瞳仁里

闪闪发光经久不息

三十岁的豆豆确实没有秘密

像老辈人，他的秘密全在水烟筒里

吧嗒一会儿就全吐出来了

他说电影《画中人》看了三遍还不腻

他说镇上卖图片的姑娘实在美丽

为了画中人为了卖图片的姑娘

他把一担山货全换成了美人挂历

自然，美人不会走下挂历

为他洗衣淘米给他温暖慰藉

油灯下，还是把小屋的夜洗成四色牌

甩得山村的眼睛红肿红肿的布满血丝

没有光彩没有神气

（选自《当代诗歌》1988 年 9 月号）

我一眼就认出那些葡萄

我一眼就认出那些葡萄

那些甜得就要胀裂的乳房

水晶一样荡漾在乡村枝头

在城市的夜幕下剥去薄薄的

羞涩，体内清凛凛的甘泉

转眼就流出了深红的血色

城市最低级的作坊囤积了

乡村最抢眼的骄傲有如

薄胎的瓷器在悬崖边上拥挤

青春的灯盏你要放慢脚步

是谁这样一遍遍提醒

我听见了这声音里的众多声音

但我不敢肯定在被榨干甜蜜

改名干红之后，这含泪的火

是不是也感到内心的黯淡

（选自《诗歌月刊》2001 年 1 月号）

陆 地 棉

这个秋天我始终在仰望

陆地棉，生活在自己设定的高处

他草本的光芒使我的

仰望，有了热度

像一颗想象中的星斗

它叫醒了一条越冬的道路

山地贫瘠。这种棉一落地就

体验了生命的另一种寒冷

可它却在寒冷中学会耐寒

以感恩的心情寻找温暖

敞开每一朵花苞

蓄起山地所有的白云和阳光

它有怎样的向往和梦想呢

我的双手显然触摸不到
我不曾问它放飞了什么又
践踏了什么，只看见红花和白花
这表达血汗的两种话语
同时升上它的高枝

仿佛一个人身体里的建筑和废墟
有多少刻骨的坚持就有
多少痛心的放弃，这种棉
在山地的寒风中日渐枯槁
枝头的铃铛却迎风歌唱
用自己生命的光和白
去温暖和擦拭这世界
这人心中的寒冷和黑暗

深秋的山地，陆地棉
独立成这季节最后的风景
它经受了内心和世俗的拷问
它守住了一生的秘密和答案
它的背后注定还有许多追随者
仰望它我有种宿命的晕眩
因此我想说，执着的人
请递过你手中的灯盏

（选自《诗刊》2005 年 2 月号）

向内的疼痛

我的爱情是木质的。一棵背阴生长的
香樟树。年轮一圈一圈
向外生长。欢乐时光的涟漪
像远山或听筒那头传来的甜美声波

而痛苦是向内的。比铁沉默比夜深沉
一枚新打的长钉生生地
钉入树心，痛苦时刻
不敢喊疼也不敢呻吟

树根把自己埋得越来越深
一双手这样把心揪紧，像旱季的池塘
日渐消瘦，又如一个盐湖
被攥成白花花的盐晶

（选自《中国诗歌》2010 年 6 月号）

石头的伪足

饮下最后一滴夜露，这些安静的石头
奔跑起来，它们想在天亮以前
有一次疯狂的出走
而平时我们看不见它们的伪足
这些形似温良的纹理可以雕琢出无数

率性的面貌，如有一把不可拒绝的刻刀

可身体里潜伏着多少个自己

不认识的自己，它们不知道

当那种叫酒精的液体让它们一一显像

我们看到血液长出了羽毛

一只被唤醒的水蛇，婀娜的腰肢上有

不可触摸的火焰，而唇齿间小小的

毒性，让胆怯者退后

可你忍不住啜饮一口，这种花朵的杯盏

盛放的寂寞与骄傲，一出贵妃醉酒

酡红的时光再也回不到唐朝

（选自《星星》诗刊 2014 年 1 月上半月刊）

作者简介

谢宜兴，1965 年生于霞浦。20 世纪 80 年代始诗歌创作。著有诗集《留在村庄的名字》《梦游》《向内的疼痛》等。诗作入选上百种选本（教材）。十多次获省级文学奖，多次获文学杂志征文奖、年度奖。系中国作家协会会员，福建省作家协会主席团委员。

谢春池作品

诺　言

——千金难买的财富
——万劫不抛的珍珠

轻轻的一句或许却嵌入某颗记忆
爽爽的半语则是人品的表述

让心与心瞬间交织
让灵魂与灵魂有共同的舞步

我宁愿卖给它为终身奴隶
我宁愿当一个羁难于它的永恒囚徒

（选自《福建文学》1993 年第 9 期）

鹭的传说

翅膀种植出的凤凰木
热血培育出的三角梅
只因白鹭是永恒的象征
传说，有不朽之美
鹭，是鸟？是岛
一个驭在双翼上的城市

一个希望合成的概念

人是鹭，大厦是鹭

许许多多的物是鹭

在国画油画里飞

在小说诗歌里飞

在广告上飞

在雕塑上飞

衔着稻菽、钢铁和黄金

形如波涛、云朵

灵溶月华、日晖

厦门，是岛？是鸟？

鸟因天空壮行

岛因大海雄飞

（选自《福建文学》1996 年第 11 期）

作者简介

谢春池，1951 年生，福建厦门人，中国作家协会会员，曾任《厦门文学》编辑。作品曾获福建省百花文艺奖、福建省优秀文学作品奖等奖项。

雷米作品

榴　莲

在一座陡峭的悬崖陈词
恰如此刻的榴莲
浑身长满尖叫
它不安，拘谨，像泡沫中的女子

给黑暗的胃挥洒着浓烈的香气
引诱，呼唤我，深陷这不期而至的沉迷
或许命运早已存在丝丝惊奇

或许就是斩水水更流的饱满

澄黄的香味，如蛇，绕喉而下
不被记忆的细节却被纠缠得恍恍惚惚

味蕾是专注的，有鲜花与月光
它们不说话，却幸福得像个借来的世界

一个榴莲完全打开了自己
在悬念的另一头，揣想的季节
散发的气息
瞬间把暴动的夜晚淹没

（选自《天津诗人》2016 年第 1 期）

致 詹 妮

临行前，我们促膝而坐
心满意足于此时此刻，无论沉默
交谈，或者是用长发点燃这个秋天
我们的目光只逗留于鸟群和枫树林

我习惯在你乌黑的发丝里穿越玉米地
在你的小酒窝里采摘红得发紫的樱桃
因为你，实际上
已变成我的另一故乡

你是密歇根湖畔天鹅般的詹妮
你是秋日上空季节边缘的标注
青苹果招摇欢呼的站台和温暖老火车的詹妮
在那个离别的路口、盛年就经历风霜的詹妮

如今剪了短发依然清澈美丽的詹妮
在你真实的，在劫难逃的身体前
我们做出承诺：活着
因为生命，世界更加辽阔

（选自《福建文学》2016 年第 11 期）

作者简介

雷米，1969 年 2 月生，福州人，已出版诗集《复活的舞步》。

蓝光作品

墙的表情

在我看来，深宅的一堵堵墙
流淌着时间的雨水
带着叹息的脚步声在回响
我的目光，看到斑驳
看到褪色的供案和泛青的苔藓
岁月，在墙上刻划了风雨
有飞掠的身影，有泪水掺和
我本不愿揭穿墙内的秘事
印证一个家族的兴衰
二梅书屋的那棵梅花开在寒冬
却是一副春天的表情
墙上，偶尔也长了植物
抹不掉伴生的影子
当我不自觉靠近墙体时
忽然借用了墙的表情

（选自《中国现代诗人》，中国文献出版社 2012 年版）

写一首诗告诉老树

老树，别过。我问过你，
风花雪月的景色。

那一片绿色，被你入冬前抹去了。

你的狰狞，我并不害怕。

你的内心质地是绿的。

初春莺啼时，我折柳送别你。

我的记忆不是你的，我自主。

我的欲望饱满而富有，

千万别嘲笑我，

我在你面前宣泄这份脾气。

我不会让枯藤爬起来，

无度地挥霍我的青春。

也不会让昏鸦停驻在我的风景中，

我会丢下小桥流水人家，

来到被你发现的圣地。

你站在季节的风口，

该摇晃摇晃，

该抖擞抖擞，

该沉默沉默。

（选自《诗歌榕城》，海峡文艺出版社 2018 年版）

作者简介

　　蓝光，本名王建干，福建省作协会员，中国散文家协会会员。诗文散见于《福建日报》《海峡诗人》《中国新诗》《散文诗世界》等。诗作入选多种选本。著有《一瓣心香》等诗文集。

楚雨作品

兽

它不断缩小，越

来越小

几乎不被人发现

不小心碰碰

它发烧的眼睑

可以听到嗤嗤的声音

她从淘宝

订购的白色箱子到了

冷冷的眼神

紧贴杉木游走

她把它锁起来

天啊　整个夜晚，它在

里面砰砰作响

（选自《中国诗歌》2015 年第 6 期）

归来的王者

那被雪厚厚覆盖着的大地

它把爱与绝望隐藏起来

没有人知道它到底怎么了

那挂满霜花的树林和让人感到

幻梦般幽蓝的大海上

王者沉浸在他的冥想之中

借助这冬夜里所具有的微光

寒冷让欲望的琴声滴落在这里

纯粹的爱情也是这样羞涩啊

那旧日的伤口　灵魂深处的悲歌

仿佛回到天边的幽暗之地

另一种异样的声音从海上缓慢升起

（选自《诗林》2018 年第 6 期）

作者简介

楚雨，"70 后"。籍贯福建泉州，现居福建漳州。毕业于闽南师范大学。诗人，艺术家。中国书法家协会会员。已出版诗集《梨形世界》。绘画作品曾获多种奖项并被美术馆及个人收藏。

赖丹萍作品

新 雪

它不断填补着黑，上一块，下一块
左边，右边

从山顶开始，向山下延伸
先是头、颈、腰，再是山脚

它总是那么细致，耐心，小心
像盖上一层白色的床单，从头到脚

露出的部分，是枝丫
母亲露在外面的脚丫，鞋

母亲就这样盖了进去。包括坟茔
凸起的，像隆起的胸
而凹下的，是被切除的部分

（选自《绿风》2018 年第 5 期）

镜 像

镜中，他总是与我交换手势
用左手握我右手，或用右手

握我的左手

三十年了，雪从镜前下
下到我的头上，肩上，手上
也落压另一个谁的身上

他是我的替身，头发霜白
就像父亲看了我一眼，我的儿子
却在另一头，看了我一眼

这三十年的练习，越模仿
越需要左右分担。我活得越来越像挂在墙上镜框里的人
又同时把慈祥，转嫁到我儿子身上

（选自《诗刊》2018 年 9 月号下半月刊）

作者简介

赖丹萍，籍贯福州。1966 年生，1988 年毕业于福建师大中文系。福建省作协会员。曾
在《诗刊》《星星》《绿风》《诗潮》《福建文学》等刊发表作品。出版诗集《生命的漂流》
《上升的飞翔》。

赖彧煌作品

旧稿重温

遗址剩残迹，死火的信子
在抖动。灯光昏黄些
镜子晦暗，里头由另一个人
代你哭泣，这样刚好
不能低到暗房的门，显影液
将漂来负片，等着相纸扶正
容颜，时光的磁极晃动

随手拍流行多年。杜尚
画的蒙娜·丽莎胡子又长出不少
法兰西的脸迷人，退到美利坚
缠在怀中的光晕才远去，发明
新的灵魂，从膜拜的美回过神
学会反讽。中年男人的果敢
随写随改随丢，用后现代手法

互文性实验

《下午的肖像》夹在《星星诗刊》
1999 年第 2 期，自图书馆过刊部
抠出，花朵上扯下的灰
盖住脸，加一道

静电复印的黑边。小病时光

躺在微热的纸上，曾尾随的身姿

已消失，闪电转过重门

《哑语和手势》缺点边角，如何

移植要小心，异体还是自体

器官或者组织？瞧瞧

泪腺萎缩，迷走神经尚好

稍稍改动口径，上了点年纪

节奏也量身定制，内涵

是指涉性的，在未来和过去之间

（以上二首选自诗选集《诗想长安》，海峡文艺出
版社 2017 年版）

————————————

作者简介

赖彧煌，1976 年生，福建上杭人，大学期间开始发表作品，诗作近百首散见《诗刊》
《星星诗刊》《福建文学》等报刊。生前为福建师范大学文学院副教授，硕士生导师，曾获
《江汉学术》首届"教育部名栏·现当代诗学研究奖"，编选《中国新诗百年大典第 21 册·
港澳卷》，出版专著《经验、体式与诗的变奏——晚清至"五四"诗歌的"言说方式"》、
诗集《哑语和手势》。

赖微作品

一只在云中奔跑的猫

他梦见自己在云中奔跑
他让季风为他插上蓝色的翅膀
为了意志飞临更远的高度
他将四肢尽量伸直
连路过的鼾声也被编成节奏分明的指令

他跨过了预想中辽阔的海疆。在天黑之前
他看见了漂流瓶里藏着的那句箴言
他相信有一个童声已在远处朝他呼喊
他让每一根毛发都醒着奔走的未来
他将炙热的那些光环擦亮
将身后的一些传说隐藏
为了抵达这目光终要企及的远方

将一场风暴送走之后，奔跑的方向开始清晰
借彤云的余光，他将腕上的尺码用力拉紧
他将周围的空气压缩成一个个单词
他将双手打开，说：在闪电熄灭之前
他要让天空看到他真实的飞翔

终于，他飞过了曾经梦想过的承许的高度
似曾相识的种种臆测被他一根根折弯

今天，他坦然地将剩余的天空全部掀开
认真地接受一节一节麦芒欢乐的舞裤
喜悦的青烟轻轻穿过白云昨日的双肩
一群鱼儿在时光的倒影里，终于看见自己
曾经死去的模样

（选自《诗潮》2016 年第 2 期）

在 水 上

那些带着穹顶的
高楼，在水上
那些川流不息的人流，忙忙碌碌的车辆
在水上。那些飞过的鸟，连同它们栖息的树
在水上

那些钓具的全部表情在水上
那些跃出水面的鱼，摆动的身子在水上
那些蚊蚋的飞舞和气泡的萌灭在水上
那些冬天的阳光和脆弱的黄昏
在水上

那些逝去的和飘下的落叶在水上
那些记住的和没记住的声音在水上
那些枯枝上的麻雀，睁一眼闭一眼的姿态
在水上

连同那些搅动了水的风雨

连同那些制造了气候的凉热

也在水上

（选自《诗刊》2018 年 9 月号下半月刊）

作者简介

赖微，本名赖世禹，1954 年生，福建永安人。已出版诗歌专集《飞越黄昏》《守望家园》《随风飘过》。中国作家协会会员，中国诗歌学会会员。作品散见国内及境外文艺报刊。有作品获奖并收入相关年鉴及选本。

简清枝作品

松潘一夜

两年前的夜晚
像是非常遥远的一个站台
在从九寨沟回来的路上
我们必经松潘这暗灰色的小城

我们是傍晚抵达的
从九寨带回了水、色彩和神的低语
进入弯曲的古城门时
夜的灯火变得诡秘而温暖

关于松潘
有太多的传说
在川西的大草甸和岷江的雪涛之间
在小店里摆放着的泛着微光的藏刀上
在宝雪顶采下来的蓝色的玉石中

从夜里开始
我就听见了文成公主路过的马蹄声
夜宿松潘
这也许是我唯一的夜晚
然后松潘就留在了那青黄不接的旷野中
就留在了格桑花的额头上
就留在了海拔 2800 米高的歌谣里……
还有那猎猎作响的经幡

（选自《星星》2004 年 11 月号）

风铃的方向

这风铃隐秘于某个角落

它的声音在偷窥

整个下午，一个男人坐立不安

它在楼房的某个阴影里

风一直要带走它

就像给我带来声响

去年或者更早的忧郁

被敲打得几乎乱了分寸

风铃，一个发出叹息的很旧的词

被钉在一堵墙，一道目光之外

万物忽略了其中的挣扎　有时是欲望

风铃，一个人老珠黄的女人

独自走在楼道上

走不出时间旁若无人的调侃

破碎的脚步

好像还停留在早年……

（选自《诗刊》2001 年 8 月号）

作者简介

简清枝，1970 年生，漳州南靖人，中国作家协会会员、中国文艺评论家协会会员。出版有文艺评论集《大道至简》、诗歌集《在朋友的琴行》、散文集《清心》等 8 部。曾获得第一、二届福建文学优秀图书奖。

蕨弦作品

返潮之夜

波状页缘提示出匿形鱼阵
眼泪，还是汗液，抬升了水位

蛇，委身四壁，湿润而觳觫。紧张正
加剧，季节朽坏，就带来无声的流响

种种传说的晦涩，在盥洗室，借浮雕
显圣。咒骂如针，扎入各层楼的穴位

杉树与杉树，近景与远景，两个
并列的零件，拥满肺腑的心思

穿过雨林之夜，未知恰给予夜色
欢愉的生长，焦虑则只属于猜忌者

洪灾捣毁大地，必起于细流的侵蚀
时节是一台多么卓绝的破坏器

我自他处继承绝孕之手，抚摸，才变得
温柔。"再不转凉，发间都快生蘑菇了。"

返潮之夜，容颜与可见的光阴

被胆汁稀释，请原谅又一次描述失败

伤心是鸽子，凌空蹈虚，惶然
欲挣脱秋天的界限，收敛迟疑，迈向

门外的风景，灯外的门。
你是万千幻觉之一，我是你。

（选自《诗刊》2013 年 1 月号下半月刊）

道 中 作

晨雾的辩争还没有散去，上海
又从箱底抽离，地名变更未决的消息
转季尚远，早报隔夜搔痒，唯有望海般
频频耸动失修的身体——该告别了

事物忽焉。拌嘴，打诨，到啼哭冲淡了
至此的倦意，邻座面朝绵延的电杆识谱
去圣本图、锡凯尔，或绕开田野礼貌的
假定与摆设？草木衰变，才仲冬，卸下

周身的毛躁，才暗入霓虹。车票的邀约
捏制了不成型的南方，如奇遇减价，而
日常疏于优美。抵过车间走道里，错眉
挑起落魄的眼珠，少妇默诵着黛山哺乳

无从料想，更多的遗憾席卷刹那的触感

更多一生注满片刻的息叹。相互委身

是莫须有的杉林隐忍斧锯，报站员终非

世事洞明的报幕员，解谜者比远更远

（选自《上海文学》2014 年第 11 期）

山水书局

先是在闹市迷途，路线之争

继而被意外驱使，潜入城邦生活的边陲

当半价义山摊开自己并未缩水的博学

拥抱了，从纷纷的斜线号里赶来的见习诗人

私有的雨珠开始渗出苦味

即便如此，"山水"仍是个暧昧的名字

这满屋老化的书架，则是匆匆搭就的悬崖

或看台，将窥探融进自然之险

双语的舆图中，一卷小谢耸起书脊

等待背包客拾级而上，到商品化的风景区

翻阅自己："空蒙如薄雾，散漫似轻埃。"

无序地旋转，为某束插入语般的灯光

布置一场佯装启示的丁达尔效应

而在脱力的动词和摇晃的人称代词之间

牺牲的蚊蝇，变成滞销的《十七史商榷》里

微小的标点事故，停顿在真相回旋处

确保肉身持续在场

很快，知识的凉意就要席卷旧城区

坍缩的窝点，比霁光更快，显露前所未有的澄净

我们用简装的语法交谈，借廉价的卷烟造境

将二手书刊传授的陈词和妙语

吐进五音步宽的店面，漫长而拘谨

然后，还需要更多时间，让消逝发生

将过剩的真理重新分配，带入各自的卧室

与良夜（借以熬过性事后的沉默）

甚至山东南路也将如一行病句，被轻易地移除

总是无所事事，又忧心忡忡

的观察者，学着去做朴素的看客

门外邮差闪过，生活索回稀薄的下午

他选择相信，有限的此生应为一版一印

（选自《星星诗刊》2016年第9期）

昆 明 湖

没有了退路，游船停泊到湖心

我们并坐在放映室，看粼粼的水面

有些隐秘的尺规正在阴影里作图

寻找落点，你颤抖的尾音开始含混

公园的下午，膨胀着春装的男女

而机械在薄暮中伸出发条，并不比

轻盈的腕表更快一些。我们学习

把长话修短，直到远山跳闸般暗去

关于结局，都在你颈动脉边结晶
如一粒食盐，以万分之一场雪飘坠
廉价而温驯的，将概率挽留枝头
或一阵风，破译波纹里金色的呼救

（选自《诗刊》2017 年 9 月号上半月刊）

作者简介

蔌弦，1993 年生，福建连江人，已出版诗集《入戏》。曾获北大未名诗歌奖（2015）、复旦光华诗歌奖（2013）等奖项。

蔡长兴作品

操场那么空

经过许久的空白，这里才落下几个字
已经在长椅上许久，像一根生锈的钢笔
把一肚子墨水干涸在自己的小池塘
整个夜晚，灯光映射的操场
只有几个飞奔的姿势，掠过这片白
把黑夜的空搅得惊惶失措，而后
静静等待铃声，把眼前的空填满
一张写满字的试卷，总是让人心安
而更多时候，操场向黑夜交出了白卷

（选自诗集《曝日》，海峡文艺出版社 2019 年版）

海那安详的睡眠……

第一次看见海，在晋江东石的老家
那浩淼的一湾已足够盛大，它婴儿的睡眠
如此安详，我看着它一直翻滚着柔软的身体
白鸥飞过的时候轻轻地，找不到合适的地方落脚
海不知道该往哪里去，一次次把离开的船拉回来
有一次，我感觉海很累了，离我们越来越远了
船一次次力图把它追回来，显然它的去意已决
我知道，它不能忍受长久的失眠，不能像船

睡得越来越晚，醒得越来越早，不能忍受

如此众多的打扰，海始终不能

船不知道，一个安详的睡眠

对海是多么重要

（选自诗集《曝日》，海峡文艺出版社 2019 年版）

作者简介

蔡长兴，1974 年生，晋江人，福建省作家协会会员，晋江市蓝鲸诗社副秘书长，晋江市蔡其矫诗歌研究会理事，泉州市文艺评论家协会理事。已出版诗集《星天的清响》《曝日》。

蔡芳本作品

哲学家的思辨

流动的水是稳定
一潭死水也是稳定
射出去的情是稳定
插在箭壶里的箭也是稳定

鸟儿关在鸟笼里
鸟儿在蓝天上朝翔
你说，什么是稳定

人各自驾着自己的稳定
当然，有人骑的是活马
而有人则坐在玩具马上

有人进行不稳定的跋涉
甚至被荒野吞没
当然，另一些人

只在不稳定的旋转椅上
用稳定的口气
讨论着稳定

贯彻着稳定

（选自《诗刊》2004 年 7 月号下半月刊）

七 分 钟

我只是偶尔看了一下
座钟和手机
整整相差了七分钟

七分钟
可能是火箭和天空的距离
而我还在被窝里

我一下活在手机里
一下又活在被窝里

一个时间已被杀死
而另一个时间正在增值

有人比我多活了七分钟
有人比我少活了七分钟

我没想到
时间被人拿捏得如此清晰

也没想到时间如此糊涂

你能清楚吗

现在是未来还是过去

（选自《福建文学》2010 年第 4 期）

作者简介

蔡芳本，1953 年生，福建泉州人，笔名老山羊、郑闲等，中国作家协会会员，泉州市作家协会、泉州市文艺评论家协会顾问，泉州少年文学院院长，泉州七彩艺文会馆馆长。著有诗文集 9 部，作品发表在全国各大文学刊物、收入各种选集并获各种文学奖项。

蔡其矫作品

雾中的汉水

两岸的丛林

成空中的草地

堤上的牛车

在天半运行

向上游去的货船

只从浓雾中传来沉重的橹声

看得见的

是千年来征服汉江的纤夫

赤裸着双腿全身向前

在冬天的寒水冷滩上喘息……

艰难上升的

早晨的红日

不忍心看这痛苦的跋涉

用雾巾遮住颜脸

向江上洒下斑斑红泪

（选自《长江文艺》1958 年第 2 期）

川江号子

你碎裂人心的呼号
来自万丈断岩下
来自飞箭般的船上
你悲歌的回声在震荡
从悬崖到悬崖
从旋涡到旋涡
你一阵吆喝，一声长啸
有如生命最凶猛的浪潮
向我流来，流来
我看见巨大的木船上有四支桨
一支桨上四个人
我看见眼中的闪电，额上的雨点
我看见川江舟子千年的血泪
我看见终生搏斗在急流上的英雄
宁做沥血歌唱的鸟
不做沉默无声的鱼
但是几千年来
有谁来倾听你的呼声
除了那悬挂在绝壁上的
一片云，一棵树，一座野庙
……歌声远去了
我从沉痛中苏醒
那新时代诞生的巨鸟
我心爱的钻探机，正在山上和江上

用深沉的歌声
回答你的呼吁

（选自《收获》1958 年第 3 期）

波　浪

永无止息地运动
应是大自然有形的呼吸
一切都因你而生动
波浪啊

没有你，大海和天空多么单调
没有你，海上的道路就可怕地寂寞
你是航海者最亲密的伙伴
波浪啊

今天，我以欢乐的心回忆
当你发着镜子般的柔光
让天空的彩霞舞衣飘动
那时你的呼吸比玫瑰还要温柔迷人

可是，为什么，当风暴来到
你的心是多么不平静
你掀起严峻的山峰
却比暴风还要凶猛

你英勇的、自由的心啊

谁敢在你上面建立他个人统治

我多么美慕你的性子

波浪啊

对水藻是细语

对巨风是抗争

生活正应像你这样爱憎分明

波——浪——啊

（选自《上海文学》1979 年第 3 期）

思 念

对你的思念充满春意

前面是

波纹鲜明的流水

背后

展开一片绿色的原野

寂静的云影下面

你的微笑有如鸟群翩飞

我对你的思念从无静止

有如月之升起

掠过一层层的树枝——

你从我的心灵走出

沿着一层层的记忆

以焕发的容光照亮周围

我对你的思念重返真实
在有塔的山上
细雨濛濛中的缄默
为倾心而永久等待
既无言
也未曾示意

（选自蔡其矫诗集《生活的歌》，人民文学出版社
1982 年版）

风中玫瑰

一上，一下。一来，一往
飞舞的焰火
跃动的霞光
一道道的浪痕
一条条的虹影
在狂欢的流泻中闪射
看不真切的轮廓
无法辨认的眼波
从中散发捉摸不到的笑声
一高，一低。一起，一落

（选自蔡其矫诗集《生活的歌》，人民文学出版社
1982 年版）

在 西 藏

洪荒的冰风在蓝天的回旋中怒吼

一切既清晰，又朦胧

旷野和陋屋，展露与深藏

雪白与枯黄

大块色彩下蕴含沸腾的热情

如焚的白昼，如炽的炎云

生命悲壮苍凉

因孤寂而更显沉重

命运迈入新夤缘

意识冲出肉体的束缚

也许这是一度有过的天堂

无边浩瀚的美丽使我迷惘

再也没有什么广袤大地

能有这种想象的自由渺茫

漠漠雪野在云下飞转

如梦轻烟飘过不为人知的荒原

寺庙的金色高墙

印满牦牛脚迹的杂花草场

以豪华的寂寞，粗犷的寂寞

向苍穹论证大地的悲伤

灵魂孤独不可抑止进入苍凉

有如命运那样不可抵抗

把意绪投寄无言的寂静

心灵进行另一次彻底裸露

身处大地边缘

感到混沌在扩大，飞升，飘逸

诉说人间无限的压抑

自由只能沿着已有的道路

荒漠不可接近

一切旅途都在梦中

那漫长的道路

只有如雪的沉默到处富余

似乎永世洪荒的独语

已伸入我的灵魂

无数的高峰撑起梦境

瀚海一亿金星中窥见女神

风餐露宿的旅程

一尺尺侵入暝色

积雪峰顶发光的忧思

高悬在命运的上空

通过使人憔悴的风尘

无人迹的荒芜萌动渴望

大地的哀歌象征女性

用最强烈的色彩包容万象

献给无人知晓的寂静

我永远不是单身

（选自《诗刊》1995 年第 10 期）

醉　海

波涛汹涌的大海
一朵朵迎向未来的花
永开不败的百合
无边碧绿之上的飞水
扬起了弦琴的弓
播送一阵阵的清新
朝向低垂的太阳

飞溅泡沫的号角
在万里长空的无声中
吹响黑暗的记忆
寒意侵远近
想讲的话都讲不出
感情的永恒在余晖中旋转
一切都如明眸在天

在灵魂复苏之前
已经很久没有平静
流矢虽落
伤口淌出的字未消
晚霞在海面幻成血迹
梦乡的金色玫瑰在哪里

热爱生命源头的眼睛

默默包容所有不幸

从失事中产生的思念

穿透秘密在夜半吻你

我迷醉你的潮流

崇尚你的涌动

为世纪指出新路

渴念都趋向你

自由的蓝色象征啊

（选自《诗刊》1993 年第 2 期）

弘一大师

他没有厌恶泥土而渴求黄金

恨不得一口饮尽大自然

欲望的莲花上一片黑暗

本应搏斗的猛虎却怜爱众生

痛苦像汹涌的大海

而快乐却像鸟在花林

当成熟的季节来临

他并未黯淡孤零

愿生者得到永恒的爱

而死者得到永恒的生

被埋在忘却里的生命碎片

迸发冲动向往光明

死的梦是滚滚浓烟

下面燃烧着生命火焰

往事不是终结而是更新

让死者的信念再现青春

用男性的欢乐拥抱大地

也让失去的羽翼重新飞翔

经过迷惘去迎接风雨

（选自刘登翰主编《蔡其矫诗歌回廊·南曲》，海峡文艺出版社 2002 年版）

作者简介

蔡其矫，1918 年生，当代著名诗人。1941 年开始发表诗作《乡土》《哀葬》《肉搏》等。1952 年到北京中央文学讲习所任教，加入中国作家协会。1959 年起在福建省作家协会任专业作家，历任副主席、名誉主席、顾问等。著有诗集《回声集》《涛声集》《回声续集》《祈求》《双虹》《福建集》《醉石》《蔡其矫选集》《蔡其矫诗歌回廊》（8 卷本）等。

蔡晓芳作品

父 亲

父亲站在田野里
芦花，结成的云
正飞过，头顶

一片黄叶，托起父亲
一生应有的挺拔
简单地活着，把所有的日子
都握成手里的一把锄头

父亲的爱，不会轻易说出口
只是在看着我们时
浑浊的眼睛，就会闪着光亮
在照亮他自己之前
必定，先照亮我们

（选自《诗选刊》2018 年 6 月上半月刊）

陶

陶的记性，比铁更古老
千年后的碎片
像灰烬和余烟一样的倾诉

远古的传奇，遗落的文字，赴生般地闪烁

出于土、归于土、更高于土
将土制成坯　将坯制成瓷器
让它长成故乡的模样
任一切想象在身体里布禅，谦虚而不软弱
在扭曲与是非之间
它们比任何人更表里如一

捏、搓、烧，青涩的时光一再退后
土与火欲言又止的交融
这些有神性的文身陶罐，都在祈祷生活
火势有多大，一生就有多幸福

（选自《诗选刊》2019 年第 6 期）

作者简介

蔡晓芳，本名蔡雪芳，"70 后"，福建晋江人。诗作散见于《星星》《诗选刊》《山东诗人》等报刊及各网络平台。

熊永富作品

黑夜流水

我们拥抱着把黑夜搂紧
在最深的那段河道上
花柳的影子飘飘下落
投影的景致在深夜灿烂盛开
流水朝我们走来
携着星辉月晕
环绕在身边的风
像睡梦中的呓语轻轻叩打
我的胴体。我们搂紧黑夜
走过田野边缘的那道山梁
马车和打铁铺
在另一个世界喧闹

（选自《厦门文学》2008 年第 7 期）

当黑夜降临

当黑夜降临
春天正向外扩张
她的版图标志了两个世界
进城的孩子不再去草地和花树
星子遥远

灯光是盛开的山花

在周遭绽放出玫瑰的模样

大地所多的是礼物

泥土和黑夜捧起它们

然后，给出一个逼仄的包厢

安顿好进城的孩子

淮山、黑豆、韭菜和白稀饭

与春天的对话

在这里展开

记忆中的草地和花树

鲜亮了出走的童鞋

肆意冲击她稚嫩的胸怀

（选自《福建文学》2016 年第 6 期）

作者简介

　　熊永富，客家人，1975 年生，上杭琴岗诗社社务委员、龙岩市作家协会会员。1993 年开始创作诗歌、散文，诗作在《福建日报》《福建文学》《厦门文学》等报刊发表，诗作入选《福建师范大学百年文学大系》《2010—2011 福建优秀诗选》《厦门文学 60 年》等选本。

颜非作品

来火车站接我的人
——给我的母亲

三十年过去了，我从河东走到河西

从河西折回中原。沿着流水栖居、颠沛流离

像只野兽出没。我嗑开无数个

酒瓶盖子，让自己每次醉回故里

抱着妖娆的女人，让她们感受一个异乡人

的胸怀和温暖。为盘踞山头而打架

梦想着和兄弟们分享林子里的麋鹿、野马

但我还来不及让她坐上我的王位

细品我的荣耀，来不及带着遍体鳞伤的

身子，在她面前跪倒，请求她原谅我

所有的罪愆。在火车站，她是唯一来接我的人

她从白天等到黑夜，或者说她

等我三十年了，我是她等待的世界

我见到她了，低矮、瘦小，脚步些许迟疑

我没叫出她，她抖瑟着手攥紧我

担心我，像那个贪玩而随时跑开的孩子

她牵住我，怕被人潮挤散，让我领着

穿过偌大的广场，三十年过去了

我没想到会牵谁的手，没想到被她的手

烙伤，没想到一个汉子会把泪滴在胡髭上

你看她，多像我那个迅速衰老的女儿

（选自《诗刊》2005 年 9 月号下半月刊）

春　天

每块无人翻动的石头下，蚰蜒、蚯蚓
这些卑微，见不着光的小动物
忙碌地生活着，它们远离世上所有的
喧嚣和聒噪。阴暗、潮湿
直至长出藓来，一块一块的
爬上每个低矮的角落。让它们披上地衣
穿上绿裙，更显得春意盎然
春天，人们看着花朵像一群姑娘
没完没了地笑着跑过一个
又一个的山头，没有人低下头
去看这些阴暗的地方。只有孩子们
在寻找蚂蚁窝时搬掉那些石头
只有觅食的飞禽会攫取土里的虫子
让它们长节的身体，鲜嫩地
暴露出来，另一些则会四处逃逸
或者掘更深的洞隐藏起来

（选自《诗刊》2005 年 9 月号下半月刊）

作者简介

　　颜非，1972 年生，祖籍泉州永春。有作品入选《中国年度诗歌》等。曾获福建省百花文艺奖等。著有《鱼，玄机》。现居厦门。

潘云贵作品

被风摇下的村庄

月光是从村前小溪率先升起的
蟋蟀挑起几根稻草又倏地跳下，默不作声
孩子们精心设计的匍匐，打草惊蛇
百米远的晒谷场有人大声咳嗽
生怕几个暗处的黑影听不清楚
星星漏下来，在发凉的碗口
打了一圈浅浅的涟漪
不少老人的嘴里流出雨水的故事
有隔夜梅子的味道飘散
无论从正面还是侧面打量
村庄总在逃脱不了的陷落中
越来越旧，夜晚
被一张黑色的包装纸紧紧裹住
我靠着榆钱树的枝丫
能够清楚感受到，孤独和陈旧
在微微战栗
一阵从镇上工地刮来的北风
要把它们摇落了

(选自《诗刊》2011 年 12 月号下半月刊)

睡在父亲的身体里

被寒风清洗的内脏
挂在软弱无力的云层上
月亮，越来越不明亮

十二月，多少牲畜的叫声
在痛苦中消失
成为日历上
被人只画过一次的红圈

多少枝丫
摇摆于没有情感的风里
一次次被折断
斜插于光秃秃的生活上

我的父亲总会在冬夜里
忍着中年骨头的剧痛
搬运村庄里
那些认识或者不认识
死于意外或者衰老的尸体

每晚在梦中
我能听见一些事物碎掉的声音
越来越清晰，是父亲的骨头

我怀疑
自己正睡在他的身体里

黑暗中
骨头一遍一遍响
我一遍一遍哽咽

（选自《福建文学》2017 年第 8 期）

作者简介

潘云贵，1990 年生，福建长乐人，已出版散文诗集《天真皮肤的同类》，曾获第二十二届台北文学奖现代诗首奖、第五届扬子江年度青年诗人奖等。

潘佳作品

南方的雨

从今夜开始　在联翩的浮想中　我不再
细数青蛙　水田和穿过竹林的南风
我横卧幻听的黑匣中　侧耳星光下的北方
想念那座古都　它望不尽的墙影和干燥

我躯体中的夙愿和镶嵌在灵魂中的快感
不再是春夜溪谷中　飞回闽南山林的黑羽
而是那凌空振翼　一吻如火的骄阳
然后坠穿云层　跟随南风次第降落的雨

这是否注定了　今生无法离开南方太久
皮肤和骨骼　揉捏模制成了左手的紫砂壶
是另一种性别的禀赋　在潜意识里行止
古都的建筑和落日　为我鉴证南方的雨

它纵容我的才情和遐思　又囚禁雄心梦想
像万年青般生长　却无法立足　起身远游
在重檐上　在由远而近　由近而远的步点里
一夜夜安然睡去　又一次次怅然醒来

（选自《福建文学》2008 年第 7 期）

夏夜彩虹

在我们父子携手出游结伴归来的路上
他总爱像温薰中已寒意渐透的晚风切入花园小径
这只是无数次我们心照不宣屡试不爽的默契游戏
但我每每总是如梦初醒般辨析他兴奋的细碎脚步

有一次他静匿片刻然后迟迟并不出现
我戛然止步以为这就是注定终将到来的不辞而别
当他额头闪光如期飞步撞进我的怀抱
我却深信有一天我们无法在前面不远的路口相逢

那不是花园设计者有意让松木栈道蜿蜒曲折
也不因为夹竹桃下一只冒失的青蛙与他狭路对峙
他已在绿篱那边走上属于他的人生和远方
留我在这边静静眺望着天边那道夏夜的彩虹

（选自《福建日报》2019 年 4 月 2 日）

微雨的深夜

多少人从童年开始练习钢琴加入歌队
此时却寂寥无声，在这微雨的深夜
多少人随心所欲涂抹世人赞叹的色彩
此刻却只让昏暗占据这微雨的深夜

多少人曾与我热情相拥，奔跑在春茎初萌的山岗
此地却四顾无人，只有我穿行在这微雨的深夜
多少人曾与我热烈讨论，思绪如夏萤秋水飞扬
今夜只剩灌木荆棘和那句诅咒，在这微雨的深夜

我知道你尚未入睡，台灯也拒绝此时就陷入虚无
我不知道是否真有你还未入睡，站在落地纱帘背后
我想起了分不清是谁叫我的那一声，谁挥动的紫手绢
我知道你们也正穿行在，似乎独自穿行的微雨的深夜

（选自《福建日报》2019 年 4 月 2 日）

作者简介

潘佳，1967 年生，福建南安人，曾任职于福州市委、闽江师专。曾在《福建文学》等刊物发表诗歌作品 100 多首。

魏冶作品

死者如何谈论我们

死者如何谈论我们
青草不自然的摆动
纸灰在微风里的飞舞
或是每时每刻
你听见的微小的
仿佛不存在的声音
都是他们的谈论
黑夜经树丫传递到村庄的心脏
他们和儿孙一起躺在湿腻的土地
悄悄谈论

死者如何谈论我们
谈论他们放弃的这个世界
觉得遗憾或庆幸
为了体面的去死而留下太多或太少东西
觉得不需要自己
觉得很需要自己
和我们对面而坐，一样空虚无聊的表情

死者如何谈论我们
他们的谈论构成我们大脑的一部分
我们指尖的一次颤动有一万种命令

一种命令由一万根提线编织而成

提线就在唇齿之间

他们的谈论转动着我们的生活

好比海浪推着沙滩

把沙滩越来越推进海中央

死者如何谈论我们

或者说，不谈论

如同我们像个合格的公民说的和想的那样

不谈论，和墓碑一起沉默

他们知道

现在发生的事

以前都已发生，以后还将发生

（选自《九曲之焰——武夷诗群十年诗选》，山东画报出版社 2016 年版）

同 学 会

酒杯似冰山升起

我在山巅袖手垂钓

不止我一人全无收获

这往昔的海洋里已几近空空荡荡

幸好

缺席的同学化身鲸鱼入水

我们从口中掏出船只和鱼叉

兴高采烈地围捕

心喜这流着血的哺乳动物

足令我们添酒回灯重开宴

几目交汇

到彼此脸上裂开的山谷里行走

纪念碑、广场、手扶梯

在缆车上俯瞰塑料般冰冻的森林

我该再喝几杯

彻底淹死那不断诘问身在何处的言官

让自己暂得安宁

（选自《海峡诗人》2018 年春季号）

作者简介

魏冶，1989 年生，福建武夷山人，现供职于南平文学艺术院，有诗作入选多种选本。

编 后 记

　　这部诗歌作品选是海峡文艺出版社策划的选题"建国70周年福建文学创作丛书"之一，旨在反映中华人民共和国成立以来福建当代诗歌写作的实绩及其在现代汉诗话语版图上占据的位置。纵观现代汉诗100多年来的发展行程，在各个重要的历史节点，闽籍诗人的身影都从未缺席，他们的诗歌绽放出一种耀眼而独特的光芒。尤其是进入新时期以后，福建本土的诗歌写作呈现出一片勃勃生机，有力地呼应了现代汉诗的艺术潮流和文类脉搏。从"10后"蔡其矫先生，到舒婷、汤养宗、吕德安，再到当下活跃的"00后"诗歌作者，不同代际的福建诗人为探索现代汉诗的艺术发展贡献了丰富多元的实践经验和诗歌文本，构成了一个不可或缺的"福建场域"。批评家蓝棣之曾别出心裁地以"金三角"结构来譬喻中国当代诗歌的地域构成，其中福建与北京、四川三地正是建构这个"金三角"的三个空间坐标。这个观点虽属一家之言，却也从一个侧面反映了福建诗歌在中国当代诗歌中的特殊地位。

　　这部诗歌作品选主要遵循以下几个编选体例：

　　一、把艺术水准作为衡量作品入选与否的首要标准。

　　二、入选作者主要为中华人民共和国成立后主要工作、生活在福建地区的闽籍和非闽籍诗歌作者，以及虽然当下已不在福建地区工作、生活，但诗歌写作起步于福建的诗歌作者。

　　三、入选作者的排序以姓氏笔画为序。

四、入选作品选自文学刊物的，尽可能以首刊版本为准。

五、入选作品的发表时间跨度为 1949 年 10 月至 2019 年 12 月。

最后，需要说明的是，由于福建当代诗歌写作者众多，作品浩如烟海，加之编者水平有限，这部诗选肯定难免有遗珠之憾，恳请诸位方家和读者批评指正。

编 者